RAUS AUS DER WELT, REIN IN DEN WALD!

Liebe Leserin, lieber Leser,

akustisch passt das schon mal gut: Im letzten Heft ging's um Gewalt, diesmal geht es um Wald. Inhaltlich liegt der Schritt vom Ge- zum nur -wald ja auch nahe: Wer träumt nicht in einer als zunehmend aggressiv empfundenen Realität davon, in die Idylle des Waldes einzutauchen? Wo die Natur in friedlicher Symbiose lebt oder ihre Grausamkeiten – Tiere essen Tiere, Käfer essen Bäume… – für uns meist unhörbar und unsichtbar auslebt?

Wäre das was für Dich: Ein Tag allein im Wald, vom ersten Vogelzwitschern bis zum Abendrot?

Wäre auch ein Tag im Wald mit vielen lauten Mitmenschen etwas für Dich? Viele Kitas entdecken in den letzten Jahren den Wald für sich und eröffnen Waldgruppen, ganze Waldkitas oder machen feste Waldtage zum Ritual. Eigentlich ein verblüffender Move: Jahrelang propagieren wir PädagogInnen den „Raum als dritter Erzieher" oder wettern gegen unzureichendes, unpädagogisches Spielmaterial – und dann schenken wir unsere Liebe einem völlig spielzeugfreien und überhaupt nicht pädagogisch gestalteten Nicht-Raum, ohne jede Form von Funktionsecken, sicherheitsgeprüften Spielgeräten und Kreativmaterialien. Oder sind die „Materialanreize" des Waldes einfach besser als all das teure Zeug vom Kita-Versand und all die pfiffigen Raumkonzepte?

Was sagt eigentlich der Wald dazu, von uns immer wieder mit Bedeutung aufgeladen zu werden? Neben der Beschäftigung mit Wald-Pädagogik aller Art wollen wir in diesem Heft auch ein wenig zum Nachdenken darüber einladen, welche Rechte der Organismus Wald uns gegenüber hat. Damit er sich auch weiterhin bereitwillig als Projektionsfläche für unsere Sehnsucht nach einer natürlicheren Lebensweise anbietet.

Wir wollen raus in den Wald! Kommt Ihr mit?
Eure **wamiki***-Redaktion

*Heute mal „Wald-mit-Kindern"

INHALT

Heft # 3/2025 **Raus jetzt!** — Thema: Draußen

1.
STAUNEN

DER WALD IN ALTEN UND NEUEN LIEDERN

Erklingen eigentlich noch Lieder „mit frohem Schalle" im Wald?
In diesem Text auf jeden Fall, denn sie dienen dazu, unser Verhältnis
zum Wald unter die Lupe zu nehmen: Woher kommt denn die gerade
für Deutschland charakteristische Begeisterung für den Wald?
Und was begeistert Pädagoginnen am düsteren Tann?

Text: Michael Fink

Plötzlich aus des Waldes Duster
Brachen kampfhaft die Cherusker,
Mit Gott für Fürst und Vaterland
Stürzten sie sich wutentbrannt
Auf die Legionen…

Obwohl das Studentenlied „Als die Römer frech geworden" erst 180 Jahre alt ist, eignet es sich als Einstieg in die Geschichte der deutschen Waldverklärung. In diesem Lied wird die im Teutoburger Wald vermutete Varusschlacht aus dem Jahre 9 beschrieben, in der Germanen drei römische Legionen besiegten. 100 Jahre später bewegte das Tacitus, sich mit dem Germanenreich zu beschäftigen, das er wenig schmeichelhaft als Dickicht undurchdringlicher Wälder mit wilden Bewohnern beschrieb – im Gegensatz zum kulturvollen Römischen Reich. Viele Jahrhunderte später, nämlich zu Beginn des 19. Jahrhunderts, diente dieser Text dazu, ein deutsches Nationalbewusstsein zu begründen: Deutschland war nun das Volk, das trotzig dazu stand, sich besser mit Natur als mit Kultur auszukennen. Das hatte paradoxerweise kulturwissenschaftliche Folgen: Nach Jahrhunderten des Desinteresses wurde der Wald plötzlich hip.

Hänsel und Gretel verirrten
sich im Wald.
Es war so finster und auch
so bitterkalt.

Nicht nur die beiden Geschwister mussten sich im Wald behaupten. Fast 50 Prozent aller Grimm'schen Märchen spielen im Wald, der fast nie nur Kulisse, sondern oft eine Art Escape-Room ist, in dem man sich vor Feinden verstecken oder Gefahren trotzen muss. Weil Märchen ja meist Emanzipationsprozesse beschreiben – ein wehrloser Mensch wird in den Wald geschickt, aus dem er gereift zurückkehrt –, könnten sie das Bild vom Wald als pädagogischem Raum geprägt haben: Der Wald hilft dir, dich zu behaupten und erwachsen zu werden.

Da steht im Wald geschrieben
ein stilles, ernstes Wort.
Von rechtem Tun und Lieben
und was des Menschen Hort.

Wohl niemand hat das Bild des Waldes, in dem man zum besseren Menschen wird, so geprägt wie Joseph von Eichendorff. Nicht nur in „O Täler weit, o Höhen" ist der Wald ein Gegen-Ort zur „geschäft'gen Welt", in der man stets betrogen wird, während zwischen Bäumen edle Gefühle herrschen: „Was wir still gelobt im Wald / Wollens draußen ehrlich halten". Auch das dürfte Spuren hinterlassen haben: Im Walde wird aus dem verbogenen Menschen ein edler Charakter. Der Wald hilft, gut zu werden.

Ein Heil dem deutschen Walde,
Zu dem wir uns gesellt.
Hell klingt's durch Berg und Halde,
Wir fahren in die Welt.

Die nächste Station unserer Waldreise: In den Zwanzigerjahren bringt nicht nur das gleichnamige Lied die Sehnsucht zum Ausdruck, „aus grauer Städte Mauern" auszubrechen, um die Freiheit in der Natur zu suchen. So marschieren jugendliche „Wandervögel" durch „Wald und Feld", um bessere Menschen zu werden. Was definitiv nicht in jedem Fall klappt: Schnell springen die Nationalsozialisten auf den Wald-Trend auf, um den Wald in Liedern, Schriften und Reden als Ort der echten Germanen in Erinnerung zu rufen – im Gegensatz zu angeblich waldfeindlichen „Steppenvölkern". Bei der

Eroberung von „Lebensraum im Osten" planen sie neben der Vernichtung der dortigen Bevölkerung die Bewaldung der gewonnene Gebiete: Mit Wald wird das geraubte Land deutsch?

> Auf die Bäume, ihr Affen,
> der Wald wird gefegt!

Nächster Stopp unserer Waldwanderung sind die Sechzigerjahre. In dem zitierten Karnevalssong, dessen Text zu Teilen heute nicht mehr druckfähig ist, spielt der Wald eine völlig andere Rolle. Er steht für die noch nicht geordnete Welt, in der die letzten Wildtiere hausen. Das passt perfekt zu einer Zeit, in der man daran glaubte, dass man die Natur ohne Rücksicht auf Verluste beherrschen und ausbeuten kann. Also wird der Wald mit Forsttechnik traktiert und verliert seinen verwunschenen Charakter als Natur-Ort immer mehr – auch wenn er in den folgenden Jahren durch neue Ausflugsrestaurants und Trimm-Dich-Pfade wieder an Bedeutung gewinnt. Im Wald wird man reich, satt und fit.

> Mit scharfer Hand fällt man Baum um Baum,
> zerstörte damit seinen Lebenstraum.
> Karl der Käfer wurde nicht gefragt,
> man hatte ihn einfach fortgejagt.

1983 erklärt uns ausgerechnet ein Schlager: An unserem Umgang mit dem Wald erkennt man, dass wir den Planeten zerstören. Während „Karl der Käfer" durch den Äther summt, bemerken wir, wie kaputt und lebensfeindlich unsere industriell ausgebeuteten Wälder sind – und dass deren Bewohner auch ein Recht auf Lebensraum haben. Der Wald zeigt, dass wir unsere Lebensweise ändern müssen.

> Wald, Wald, Wald!
> Wir Kinder sind bereit!
> Hör'n den Wind, wie er laut brabbelt,
> und den Käfer, wie er krabbelt!

Lieder wie dieses singen Kindergruppen, wenn sie zum Waldtag aufbrechen. Sie zeigen zwei pädagogische Ziele: Stadtkinder sollen Natur erleben – und der Wald soll sie, bitte schön, beruhigen. Unser Run auf Waldkitas und Waldtage, importiert aus Skandinavien, belegt: Die alte Verbindung der Deutschen zum Wald besteht fort. Wie im Märchen oder bei Eichendorff wird er zur Bildungsstätte.

Wird nun alles gut mit unserem Verhältnis zum Wald? Jein. Das Lied „In der Natur" von Deichkind (2023) beschreibt, dass unsere Sehnsucht nach Natur heute auf ein entfremdetes Lebensgefühl trifft: Bäume umarmen, aber verzweifeln, weil das Handy „Kein Empfang!" meldet. Und so endet das Lied mit einer Feststellung, die vielleicht auch manche Kinder und Erzieherinnen nach einem langen Waldtag vor sich hinmurmeln:

> In der Natur
> Wirst du ganz langsam verrückt
> Und plötzlich wünschst du dich so sehr zum
> Hermannplatz zurück.

Songtext von Deichkind

IN DER NATUR

In der Natur,
alles voll Gekrabbel und Gestrüpp
In der Natur,
da friert es dir am Steiß, wenn du
dich bückst
In der Natur
wirst du ganz langsam verrückt
Und plötzlich wünschst du dich
so sehr zum Hermannplatz zurück
In der Natur
gibt es weder Kuchen noch Empfang
In der Natur,
da hat die Liebe keine Chance
In der Natur,
da hab'n die Tiere keine Angst
Da gehst du einfach lang und krepierst
dann irgendwann

Ich hänge hier im Wald rum
Ohne Hafermilch und Heizung
Hier versau ich mir den Look und
die Hagebutte juckt
Dornen schneiden an mei'm Bein rum
Ich kämpf mit Schwein'n um die
Kastanien
Die Sonne treibt mich in den
Wahnsinn
Ich schlaf auf einem Stein, ich fühl mich
so allein
Und hab Karies in mei'm Zahn drin

In der Natur
Da wartet's nur auf dich
Da wirst du beobachtet

Kein Heft ohne Lyrik.
Den Songtext, leicht gekürzt,
hat Tasche gefunden.
Quelle: musikguru.de

VOM WALD UND VOM LERNEN MIT PFLANZEN

Was wäre, wenn der Wald unser Lehrer wäre?
Wenn Bäume, Moose und Pilze nicht bloß Kulisse,
sondern Mitdenkende wären?

Der Künstler **Uriel Orlow** stellt genau diese Frage –
und rührt damit an das, was auch Pädagoginnen und
Pädagogen bewegt: Wie entsteht Resonanz, Beziehung,
gemeinsames Lernen?

Orlow lebt zwischen London, Lissabon und Zürich.
Seine Kunst wächst an der Schnittstelle von Forschung,
Ökologie und Alltag – oft im Austausch mit Wissen-
schaftlernnen, Gärtnern oder Menschen vor Ort. Ihn
interessiert das Wissen, das in Pflanzen, Landschaften
und Beziehungen verborgen liegt – und wie es unsere
Sicht auf die Welt verwandeln kann.

In seinem Projekt „**Forest Futurism**" erforscht er den
Wald als vielstimmigen Organismus, in dem Kooperation, Anpassung und Fürsorge das Überleben sichern.
„Wenn ich es auf eine Kernbotschaft reduziere", sagt
er, „dann wäre das vegetal pedagogy – von Pflanzen
lernen."

Was poetisch klingt, beschreibt eine tiefe pädagogische Haltung: Pflanzen lehren, dass Lernen Zeit braucht, Beziehung und Verwurzelung.

Dass Wandel durch Vernetzung geschieht – und Vielfalt kein Problem, sondern eine Überlebensstrategie ist. Ausgangspunkt für Forest Futurism war eine Begegnung mit einer Paläobotanikerin in Südtirol. Sie zeigte Orlow den ältesten Nadelwald der Erde – eine 280 Millionen Jahre alte Spur des Lebens, entstanden in einer Zeit globaler Erwärmung.

Aus dieser Erfahrung wuchs die Idee, Zukunft aus der Perspektive der Pflanzen zu denken: Wie leben sie mit Veränderung, Anpassung, Verlust? Was erzählen sie über Geduld, Dauer, Kreisläufe?

Orlows „Pädagogik der Pflanzen" lädt ein, vom Stillen und Wilden zu lernen – vom Wurzeln, Wachsen, Teilen. Der Wald wird zum Sinnbild einer solidarischen Zukunft: kein Besitz, keine Ressource, sondern ein Beziehungsraum. Seine Filme und Skulpturen machen dieses Denken erfahrbar. Pflanzen werden zu Erzählerinnen, Steine zu Erinnerungen, Wälder zu Archiven.

Kunst, sagt Orlow, solle nicht belehren, sondern Bewusstsein schaffen – Räume öffnen, in denen Menschen ihre Verbindung zur Umwelt neu empfinden können: als Teil eines größeren, lebendigen Ganzen. 2024 entstand der Film: „Wir haben unsere Zukunft bereits erlebt, doch wir erinnern uns nicht an sie" – Ein Film über Erinnerung, Wandel und die Sprache der Natur.

Kinder des Waldkindergartens Birkenwald begegnen hier dem Wald – als Lernort, Klangraum und Zukunftsbühne. Über viele Monate hinweg filmte Uriel Orlow in wechselnden Jahreszeiten.

Sein Werk zeigt, wie Kinder den Wald sehen, besingen, erfinden – während Stimmen aus dem Off von Klimaveränderungen erzählen. So entsteht ein Dialog zwischen Vergangenheit, Gegenwart und Zukunft.

Ergänzend dazu präsentiert Orlow Skulpturen aus Vulkangestein – 3D-gedruckte Fossilien versteinerter Bäume, in denen Jahrmillionen eingeschrieben sind.

Zeit wird hier sichtbar, greifbar, atmend – wie eine Einladung, das Werden der Welt neu zu betrachten.

„Der Wald regt uns an, neue Weisen des Miteinanderseins zu erfinden."

Aus dem Manifest des Waldes

Photo credit: Uriel Orlow, Forest Futurism, Installationsansicht MCBA Lausanne, Foto: Etienne Malapert

Portrait: Florian Spring, Bundesamt für Kultur

Mehr Info und aktuelle Ausstellungstermine
unter: urielorlow.net

Forest Times (Waldzeiten) vereint zwei zentrale neuere Projekte des Künstlers Uriel Orlow – Reading Wood (Backwards) (2022) und Forest Futurism (2024) –, in denen Pflanzen zugleich politische Akteure, Zeugen der Vergangenheit und Wegweiser für die Zukunft sind.

Uriel Orlow. Forest Times.
Edited by Nicole Schweizer 2024.
Englisch und Französisch.
ISBN: 978-3-947858-61-3, 29,– Euro.
Zu beziehen im K.Verlag unter:
kverlag.com/collections/all/products/forest-times-1

ZWISCHEN BEET, BEAT UND BEWUSSTSEIN

PROBIERS AUS!
„QR-CODE-SCANNER" …

Auf diesen Seiten singen Bäume, tanzen Käfer und streiten Jurist:innen für die Würde der Natur.

WAMIKI-HITLISTE

Was singt ihr so zum Heftthema? *Mein Freund, der Baum? Heidi? What A Wonderful World?* Oder ganz was Eigenes in der Natur?
Die **wamiki**-Hitliste zum Mitträllern, Staunen und Grübeln gibt es hier:

GÄRTEN DES GRAUENS

Ordnung, Sauberkeit, kein Moos weit und breit: Der deutsche Traumgarten bleibt oft ein Albtraum für Artenvielfalt.
Ulf Soltau dokumentiert die Lieblingsgärten von Schotterfreund:innen und Geröllheimer:innen – mit scharfem Blick und trockenem Humor.
Ulf Soltau: *Gärten des Grauens* – und, weil's so schön grausig ist, gleich noch die Fortsetzung: *Noch mehr Gärten des Grauens.*

KÄFALPHABET

Schon als Kind liebte Marie Parakenings Käfer – und hat ihnen ein ganzes Alphabet gewidmet. **wamiki**-Leser:innen kennen Marie als Erfinderin der Bilderrätsel (S. 63). Auf Wunsch fertigt sie das Käfalphabet auch als Siebdruck an. Mehr:

WEIHNACHTLICH GLÄNZT DER WALD

Eines der bekanntesten Lieder von Eduard Ebel (1839–1905) in der aktuellen **wamiki**-Lieblingsversion:

Foto: Erik Neumann | studio luxabor

WELCHE MUSIK IST AM BESTEN FÜR PFLANZEN?

Überraschend, aber wissenschaftlich belegt: Pflanzen wachsen besser mit klassischer Musik. Die sanften, harmonischen Klänge von Mozart oder Beethoven regen offenbar das Pflanzenwachstum an. Denn Pflanzen reagieren nicht nur auf Licht und Wasser, sondern auch auf Schallwellen. Mehr Studien und Tipps dazu gibt's hier:

DIE RECHTE DER PFLANZEN

Nicht nur Menschen und Tiere, auch Pflanzen haben Rechte. Seit zwei Milliarden Jahren verwandeln sie den blauen Planeten in eine grüne Insel im All.
Höchste Zeit, ihnen rechtlichen Schutz zu geben – schließlich sichern sie unser Überleben.
Der italienische Pflanzenforscher Stefano Mancuso hat ein Manifest mit Pflanzenrechten entworfen: Pflanzen sind die älteste und größte Lebensgemeinschaft der Erde – über alle Grenzen hinweg. Ohne sie kein Leben. Warum also keine Rechte für sie?
Stefano Mancuso: Die Pflanzen und ihre Rechte – Eine Charta zur Erhaltung unserer Natur.

Hättste das gedacht? – Rechte der Natur

Die Vorstellung der Natur als Rechtsträgerin ist längst keine utopische Idee mehr. Vom Amazonas bis Bayern: Weltweit werden Flüsse, Wälder und Ökosysteme zu Rechtspersonen erklärt – inspiriert von indigenem Wissen und ökologischer Gerechtigkeit.

Ecuador war 2008 das erste Land, das Naturrechte in seine Verfassung aufnahm. Bolivien folgte mit den Gesetzen über die „Rechte der Mutter Erde". In Neuseeland erhielten einzelne Naturgebiete wie der Whanganu River und der Te Urewera Nationalpark den Status juristischer Personen – sie können also rechtlich vertreten werden. Auch Uganda (Umweltgesetz 2019) und Panama (Gesetz 2022) erkennen die Natur als Rechtsträgerin an. In Indien erklärten Gerichte Flüsse wie Ganges und Yamuna zu Rechtspersonen. Ähnliche Entwicklungen finden sich in Kolumbien, Mexiko und weiteren lateinamerikanischen Staaten. In Spanien, den USA und Kanada entstehen auf lokaler Ebene Initiativen, die Ökosysteme juristisch schützen. Zwar gelten diese Rechte oft nur für bestimmte Flüsse, Wälder oder Regionen, doch weltweit wächst die Bewegung, die Natur als eigenständige Rechtsperson versteht – als Grundlage für Klimaschutz, Nachhaltigkeit und Gerechtigkeit zwischen Mensch und Mitwelt. Auch in Deutschland gewinnt diese Idee an Bedeutung

Das Netzwerk „Rechte der Natur" und der gleichnamige Verein fördern den öffentlichen Diskurs, initiieren Petitionen und setzen sich für die Anerkennung von Natur – etwa Flüssen oder Ökosystemen – als Rechtssubjekt ein. Ein bedeutender Schritt ist das Volksbegehren „Rechte der Natur" in Bayern, das fordert, den Begriff „Mitwelt" in die Landesverfassung aufzunehmen. Damit soll der Staat stärker in die Verantwortung für ökologische Belange genommen werden.

In der Rechtsprechung zeigen sich ebenfalls neue Ansätze: Das Landgericht Erfurt erkannte 2024 in einem Umweltverfahren erstmals indirekt Rechte der Natur an – gestützt auf die Europäische Grundrechte-Charta. Ein bemerkenswerter Präzedenzfall.

Zudem wird politisch über eine Erweiterung des Grundgesetzes um eine ökologische Dimension diskutiert, etwa durch die Anerkennung einer „Würde der Natur".
Parallel dazu stärkt die Novelle des Bundesnaturschutzgesetzes den langfristigen Natur- und Artenschutz.

STEFANO MANCUSO
DIE PFLANZEN UND IHRE RECHTE

Eine Charta zur Erhaltung unserer Natur

EHRFURCHT ENTSTEHT DRAUSSEN

Warum Kinder Natur erleben müssen – und Erwachsene mit ihnen

Text: Salman Ansari

Viele Kinder begegnen Insekten mit Angst – und viele Erwachsene auch. Kein Wunder: Wer nie erlebt hat, wie faszinierend ein Spinnennetz oder ein Ameisenhaufen ist, lernt Natur nicht kennen, sondern meidet sie. Dieser Beitrag zeigt, warum Naturerfahrung mehr ist als Wissen über Wald und Wiese – und wie sie selbst mitten in der Stadt gelingt: durch gemeinsames Staunen, genaues Hinschauen und kleine Impulse statt großer Vorträge.

Ehrfurcht braucht Erfahrung. Doch Naturerfahrung fehlt – nicht nur Kindern, auch vielen Erwachsenen. Eine Spinne? Panik. Eine Biene? Flucht. Warum eigentlich? Weil kaum jemand zeigt, wie man auf Augenhöhe mit anderen Lebewesen lebt.

Kinder lernen durch Beobachtung. Wenn wir Natur meiden, ängstlich sind oder sie schlicht übersehen, übernehmen Kinder genau das. Wer nie im Laub gewühlt oder unter Steine geschaut hat, wird sich schwer für Moos, Käfer oder Schnecken begeistern. Wer den Wald nur aus Bilderbüchern kennt, versteht ihn nicht als Lebensraum.

WAS IST NATURERFAHRUNG?

Naturerfahrung ist mehr als Wissen über Pflanzen oder Tiere. Sie ist ein Berührt werden von einem Netzwerk, das größer ist als wir. Ein Netz aus Vielfalt, ständiger Veränderung und wechselseitiger Abhängigkeit. Naturerfahrung bedeutet nicht nur eine Erfahrung – sondern viele: individuell, situativ, immer anders.

Naturerfahrung ist Staunen und Verstehen:
Das Glitzern eines Regentropfens auf einem Blatt.
Das Summen einer Biene, die kurz darauf eine Blüte besucht.
Die Spinne, die ihr Netz baut – und das Insekt, das darin zappelt.
Ein morscher Baumstamm voller Leben.
Kröten auf Wanderschaft.
Der eigene Atem nach dem Rennen.

Und ja: All das und noch viel mehr ist möglich – auch mitten in den Metropolen der Welt.
Die Vielfalt der Naturphänomene ist überall erfahrbar. Nicht nur im Wald, sondern überall. Zwischen Pflasterritzen, auf dem Fensterbrett oder draußen vor der Tür. Und sie könnte – wenn wir es wirklich wollen – noch stärker, eindringlicher und erfahrbarer gemacht werden.

WIE GELINGT NATURERFAHRUNG IM ALLTAG?

Es braucht vielleicht weniger, als wir denken. Wenn ich mit Kindern draußen bin, beginnt es meist wild: Rennen, Toben, Energie loswerden. Dann wird gesammelt. Dann wird entdeckt.

Ich ermutige die Kinder, unter einen Stein zu schauen. Einen alten Baumstamm umzudrehen. Und plötzlich: Bewegung! Käfer, Asseln, Tausendfüßler, Ameisen, Spinnen. Ein ganzer Mikrokosmos wird sichtbar. Es genügt, einen Impuls zu geben – die Fragen kommen

Foto: Getty Images

von selbst. Milben, Schnecken, Larven. Jetzt beginnt das Lernen. Nicht durch Vortrag – durch Erlebnis.

Ebenso, wenn ich sie auf vermooste Hölzer aufmerksam mache. Was für ein Leckerbissen für Schnecken! Oder auf Laubblätter, unter denen kleine Tiere sitzen. Was sie wohl dort tun? Ich erzähle nichts vorweg – ich gebe nur einen Anlass. Die Kinder entdecken. Und stellen Fragen. Lernen durch Erfahrung.

NATURERFAHRUNG BRAUCHT WIEDERHOLUNG

Damit solche Momente wirken, müssen sie wiederkehren. Sie brauchen Zeit. Tiefe. Geduld. Und Erwachsene, die bereit sind, sich selbst überraschen zu lassen. Die ihre Perspektive wechseln. Die mitgehen – im wörtlichen Sinn. Denn Naturerfahrung lässt sich nicht vermitteln wie ein Lerninhalt. Sie muss geschehen. Am besten gemeinsam.

NACHFOLGEND DREI BEISPIELE:

Lernorte zum Staunen – Natur erfahrbar machen

Die Natur steckt voller Phänomene. Natur fliegt, wächst, leuchtet, riecht – und stellt Fragen. Damit Kinder diesen Wundern begegnen können, brauchen sie Orte, an denen sie in Resonanz gehen können – mit Erde, Licht, Wasser, Leben – nicht im Vorbeigehen, sondern im Verweilen, Forschen und Staunen.

Was wäre, wenn jeder Kindergarten, jede Schule ein Ort des Staunens wäre?

Hier ein paar Ideen, wie solche Erfahrungsräume aussehen könnten – gemeinsam gestaltet mit den Kindern:

- **Gemüsegarten** mit Beeten: säen, gießen, ernten – begreifen, woher unser Essen kommt.
- **Naschgarten** mit Sträuchern, Obstbäumen und Kräutern: riechen, pflücken, schmecken.
- **Blüten- oder Steingarten** mit Trockenmauer: Lebensräume entdecken – für Pflanzen, Käfer und Kinderfantasie.
- **Kletterfelsen und Erdhügel**: eigene Kräfte spüren, Gleichgewicht finden, Herausforderungen meistern.
- **Teich oder Wasserstelle**: Tiere beobachten, Wasserlebewesen erforschen – und lernen, vorsichtig zu sein.
- **Vogelgarten** mit Brutplätzen und Nistkästen: lauschen, notieren, vergleichen – wer wohnt denn hier?
- **Wasserspiele** mit Kaskaden, Wasserlauf, Becken: ideale Orte zum Experimentieren, Staunen, Matschen.
- **Lichthof**: Wie verändert sich Schatten? Woher kommt das Licht? Sonne erleben – ganz bewusst.
- **Feuerstelle**: Wärme, Sicherheit, Gemeinschaft – und viele Gespräche am flackernden Licht.
- **Natur-Labor**: Dinge sammeln, untersuchen, sortieren – das Staunen bekommt hier ein Zuhause.
- **Mini-Planetarium**: Fragen stellen, in den Himmel schauen, staunen – wie klein wir sind und wie groß das Universum.

Und was lernen Kinder dort?
Vor allem lernen sie, zu staunen. Fragen zu stellen. Phänomene zu entdecken, die im Alltag oft übersehen werden – obwohl sie direkt vor unser aller Augen liegen – das Glitzern eines Regentropfens, die Struktur eines Blattes, das Nest im Gebüsch – sind bei genauem Hinsehen voller Rätsel. Und genau dort beginnt echtes Lernen.

BEISPIEL 1
WAS UNS DER HERBST SCHENKT

Wie der Herbst zum Sprachanlass, zur Lernwerkstatt und zur Galerie wird

Text: Salman Ansari

Blätter erzählen Geschichten, Früchte werden zu Kunstwerken, Insekten verraten Naturgeheimnisse. Ein Projekt über das Sammeln, Staunen, Nachfragen – und das Wissen, das aus Erfahrung wächst.

Ziele: Sammeln, staunen, gestalten – und den Kreislauf der Natur verstehen … Bucheckern, Eicheln, Beeren, Nüsse, Äpfel, Hagebutten, Kastanien suchen. Eigene Erfahrungen einbringen und Vermutungen anstellen. Die Erscheinungsbilder der Bäume betrachten. Was passiert mit dem Herbstlaub? Den Vorgang des Kompostierens verstehen lernen. Wie ernähren sich die Tiere im Winter? Neu erworbene Wörter und erweitertes Wissen anwenden. Mit den Gaben des Herbstes gestalten …
Alter: Kinder zwischen 3 und 8 Jahren
Materialien: Tüten, Eimer oder Körbchen zum Sammeln

Es ist Herbst. Die Bäume werfen ab, was sie nicht mehr brauchen: Blätter, Früchte, Samen. Und genau das nehmen wir zum Anlass, um mit den Kindern loszuziehen.
Was wir suchen: Äpfel, Kastanien, Eicheln, Bucheckern, Nüsse, Hagebutten, Beeren.
Was wir dabei finden: jede Menge Gesprächsanlässe – und Material für Kunstwerke.
Wir benennen alle Schätze und die Kinder arrangieren ihre Funde zu Materialbildern. Sie zeigen dabei ein bemerkenswertes Gespür für Form und Farbe.

Nun wollen wir wissen: **Was passiert mit den Blättern, wenn sie nicht mehr am Baum hängen?**

Wir schauen uns die Blätter im Kita-Garten genauer an:
Das Laub auf dem Boden leuchtet in Gelb, Rot, Grün …
Warum werden sie eigentlich abgeworfen?
Die Kinder überlegen:
„Weil es kalt wird." / „Weil der Baum seine Blätter nicht mehr mag?" / „Weil es Herbst ist."
Wir greifen das auf: Wie ist das Blatt, wenn es grün ist – und wie verändert es sich, wenn es gelb wird?
Wie klingt es? Wie fühlt es sich an?

Die Kinder sammeln, vergleichen, fühlen, riechen – und entdecken:
– glatte grüne Blätter: Sie fühlen sich glatt und kühl an;
– zerbrechliche gelbe: Sie knirschen wie Papier, wenn man sie aneinanderreibt und
– raschelnde bunte Blätter mit drei Farben zugleich: rot, gelb und grün.

Dann singen wir:
Falle, falle, falle –
rotes Blatt, gelbes Blatt,
bis der Baum kein Blatt mehr hat.
Weggeflogen alle!

In einer anderen Kita machen wir die gleiche Entdeckung: Die Natur ist voller Kunst. Man muss sie nur einsammeln.

Die Kinder und Erzieherinnen staunen darüber, was sie alles vor Ort finden.
Was für Schätze! Wir versuchen die Beschaffenheit der Gaben zu beschreiben und ihre Namen herauszufinden. Auch hier gestalten die Kinder frei mit dem, was sie gefunden haben:

Blätter / Nüsse / Beeren / Rindenstücke / Äste / Schalen.

Es entstehen auf den Steinplatten kleine Landschaften, Mandalas, Tiere, Gesichter …
Wie immer zeigen die Kinder ihre Kreativität und das ihnen innewohnende Gefühl für Formen und Schönheit. Dabei erzählen sie, was sie denken und erlebt haben. Sie

Fotos: Markus Spiske / unsplash; Archiv Samlan Ansari

üben neue Wörter ein und teilen ihr Wissen miteinander. Kunst wird Sprache – und Sprache wird Welt.

WO KOMMEN DIE LÖCHER IN DEN BLÄTTERN HER?

Manche Blätter von den grünen und auch von den vergilbten haben Löcher, bemerken einige Kinder. Warum? Wir schauen uns die Rückseiten genauer an – und entdecken kleine Insekten. Sie sitzen wie angeklebt auf dem Blatt. Wenn wir das Blatt gegen das Licht halten, flitzen sie auf die andere Seite. Lassen wir das Blatt los, wechseln sie sofort wieder zur Rückseite des Blattes. Merkwürdig. Wir untersuchen nun die Blätterhaufen unter dem Baum und finden noch mehr Blätter mit Insekten. Was ist hier los?

Die Kinder vermuten:
„Die Insekten fressen vom Blatt." / „Sie essen die Blätter im Winter." / „Sie mögen kein Licht."

Die Frage, weshalb die Insekten kein Licht mögen können die Kinder nicht beantworten.

Ob sie vielleicht beobachtet haben, wie die Vöglein in dem Haufen abgefallener Blätter heftig herumpicken, bis die Blätter sich umdrehen, frage ich. Nein, keines der Kinder hatte das bemerkt.

Wir sprechen nun darüber, wovon sich die Vöglein ernähren. Fast alle meinen, dass die Vöglein Körner und Brot mögen. Nur zwei Kinder wenden ein, dass die Vöglein auch Insekten fressen. Nun erinnern sich auch andere Kinder, schon einmal beobachtet zu haben, dass die Vögel Regenwürmer fressen und auch ihren Nachwuchs mit kleinen Insekten füttern. Nach dieser Diskussion wissen alle Kinder, weshalb die Insekten kein Licht mögen: Ganz klar – sie möchten nicht von den Vöglein gesehen werden!

An einer windgeschützten Stelle stapeln wir die Herbstblätter zu einem großen Haufen und beobachten, wie er sich langsam zu Humus verwandelt.

Und noch ein Herbstlied:

> *Ein Baum kann sich nicht schütteln,*
> *deshalb macht das ja der Wind.*
> *Im Herbst, wenn die Blätter alle buntfarben sind.*
> *Dann weht er durch die Äste und weht auch drum herum.*
> *Alle Bäume sind zufrieden und summen dumdidum.*
> *Dum dumdidum, dumdidum –*
> *der Herbstwind, der geht um.*

BEISPIEL 2 SIEBEN KINDER – DREI BÄUME – ZEHN BLÄTTER

Blätter, die schwimmen – Gedanken, die fliegen

Text: Salman Ansari in Kooperation mit Lucia De Lemos, Erzieherin in der Kita 16, Offenbach

Ein grauer Herbsttag, viele Fragen – und plötzlich segeln Farben über Pfützen.

Ziele: Die Vielfalt der Natur erleben, Erscheinungsformen der Natur beobachten, sammeln, vergleichen, prüfen, vermuten, zählen, beschreiben. Mit Naturmaterialien frei gestalten.
Alter: Kinder zwischen 3 und 6 Jahren
Material: Blätter und andere Fundstücke, Farben, Pinsel

Heute zieht es uns nach draußen. Der Regen hat aufgehört, aber der Himmel hängt noch grau und schwer über uns. Vielleicht riecht die Erde deshalb so gut? Wir beginnen mit einem Rundgang über den Hof der Kita, der glücklicherweise einige Bäume vorweisen kann.

7 Kinder haben nun die Aufgabe, sich 3 Bäume auszusuchen, von denen jedes Kind jeweils 10 Blätter einsammelt.

Schon auf dem Weg zeigen sich erste Unterschiede: Manches Blatt ist frisch gefallen, andere sind trocken und brüchig. Einige sind rund, andere spitz, manche glänzen noch vom Regen.

Zurück im Gruppenraum legen die Kinder ihre Blätter vor sich hin.

Erste Aufgabe: Nachzählen. Wie viele Blätter sind es denn nun? Habe ich tatsächlich **10** Blätter gesammelt, oder habe ich vielleicht eines unterwegs verloren?

Nein, Gott sei Dank nicht, es sind **10** bei jedem Kind. Dann kann es ja losgehen.

Ich frage: Sehen alle Blätter gleich aus?
Was seht ihr für Unterschiede, könnt ihr mir die beschreiben? Wie sehen jeweils die Blätter von den **3** Bäumen aus?

Wie unterscheiden sich die Bätter der Bäume voneinander? Auf den ersten Blick sehen sich die Blätter aller Bäume ähnlich, aber stimmt das, was ich da eben gesagt habe?

Sehen die Blätter von einem Baum verschieden aus? Könnt ihr vielleicht sogar ein Paar finden, also zwei Blätter, die gleich aussehen?

„Das eine Blatt ist viel grüner als das andere."
„Auf dem Blatt sind mehr Spitzen als auf dem anderen. Das andere Blatt ist eher rund."
„Hinten sind Adern", bemerkt das Kind mit dem grüneren Blatt. „Das ist wie ein Rohr, da kommt Wasser rein und dann werden sie groß und wachsen."

Was für eine schöne Metapher:
Das Blatt als Rohrsystem. Die Kinder denken in Bildern – und erschließen sich so die Funktionen.

Neue Fragen entstehen:
Warum wirft der Baum seine Blätter ab?
Wie sehen die Blätter aus und wie verändern sie sich? Warum eigentlich?

Antworten:
„Weil sie braun werden." / „Weil der Schnee kommt." / „Damit der Baum nicht umkippt."

Fotos: Archiv Salman Ansari

Und tatsächlich: Wer sich vorstellt, dass auf jedem einzelnen Blatt vielleicht mehrere hundert Schneeflocken sitzen, versteht, warum der Baum sie lieber abwirft. So schützt er sich vor zu großer Last – und sammelt Kraft für ein neues Blüten- und Blätterkleid im Frühling.

Jetzt wird's bunt: Farben, Blätter, Regen

Nach so viel Denken folgt das Machen. Wir holen rote, gelbe und blaue Farbe. Die Kinder betupfen ihre Blätter – nicht bemalen, nur zart betupfen. Dann setzen wir sie auf kleine Regenpfützen.

Was passiert? Schwimmen sie oder gehen sie unter?

Wir beobachten:
Blätter mit einer nach unten gewölbter Form nehmen Wasser auf und sinken.
Blätter mit einer leichten Aufwölbung bleiben länger an der Oberfläche.

Die Farben laufen ineinander, neue Töne entstehen, manchmal leuchten sie wie kleine Gemälde gegen den grauen Himmel.

Aber Achtung: Bei diesem Experiment hat Fingerspitzengefühl oberste Priorität. Zu viel Farbe genommen und die Blätter haben nicht den Hauch einer Chance, auf der Pfütze zu reisen. Bahnt sich ein „Landunter" an, bieten die Farben ein wunderbares Schauspiel: Sie laufen ineinander, es entstehen neue Farben, die einen aufregenden Kontrast zum grauen Himmel bilden.

Die Kinder sind fasziniert: Das Wasser verändert die Farben, die Farben das Wasser.

So wird aus einer Pfütze ein kleines Atelier – und aus einem Herbstspaziergang eine Forschungsreise mit Farben, Formen und Fragen.

BEISPIEL 3
HONIG ODER HARZ – WAS KLEBT DENN DA AM BAUM?

Entdeckendes Lernen – eine Dialoggeschichte

Text: Andrea Herdt, Erzieherin in der Kita 20, Offenbach –
in Kooperation mit Salman Ansari

Melihs Finger kleben, die Kinder sind sich sicher: Das muss Honig sein! Doch was riecht da streng? Was klebt mehr? Und warum heilt ein Baum wie wir?
Ein Forschungsprozess über Irrtümer, Unterschiede – und das Glück, gemeinsam etwas herauszufinden.

Der Anfang
Melih, Baran und Laris entdecken am Baum mehrere klebrige Stellen. Melih berührt das Harz – und es bleibt an seinen Fingern kleben. „Das ist Honig!", sagen die Kinder überzeugt.

Sie zeigen die Fundstelle einer Kollegin: „Guck mal, da ist Honig!" Die Kollegin antwortet knapp: „Das ist Harz."

Beobachten, Benennen, Begreifen
Die Kinder sind anderer Meinung und laufen aufgeregt zu mir: „Andrea, da ist Honig am Baum!"
„Honig? Ihr habt Honig gefunden?" Melih streckt mir seine Hand entgegen. „Ja – es klebt!"
„Wie fühlt sich das an? Wie riecht es?"
„Klebrig und gut!", sagt Melih.
Burak und Max kommen dazu. Die Kinder erzählen, dass die Bienen den Honig an den Baum „geschmiert" hätten. Es gäbe schließlich Erdbienen auf dem Gelände.

Nachdem Melih sich die Hände gewaschen hat, frage ich: „Wie ging das ab?" — „Schwer", sagt er.

Ein Vergleich muss her
Am nächsten Tag bringe ich echten Honig mit. Die Kinder riechen, tasten, schmecken – und waschen ihn wieder ab.
„Wie war das Abwaschen?" — Melih: „Leicht."
Ich hake nach: „Leichter als das vom Baum?" — „Ja."

Ein Kind ergänzt: „Der Honig vom Baum war fester klebrig – anders als der von Andreas Papa."
Ich bereite eine Vergleichsstation vor:
Ein Glas mit Honig, eines mit Harz, Schraubgläser, Wasser, Löffel und Schälchen.

Erst wird geschnuppert:
Burak: „Honig. Das andere ist kein Honig." / Max: „Der echte Honig riecht schön. Das andere auch schön – aber nicht echt." / Baran: „Honig riecht richtig gut. Das andere: puh, kein Honig." / Gazi: „Honig riecht schön. Das vom Baum – eklig."

Wir mischen Wasser hinzu, schütteln die Gläser:
Baran: „Das geht nicht weg – weiß nicht warum." / Melih: „Schwer weg, das wird nicht klein." / Burak: „Der Honig wird immer kleiner." / Max: „Der wird mittelklein."

Ich fasse zusammen: „Noch ein Unterschied – es riecht anders und löst sich anders auf."
Burak zieht sein Fazit: „Das vom Baum ist kein Honig."

FÜHLEN, FORSCHEN, FORMULIEREN

Die Kinder bekommen etwas Honig auf die Hand.
„Wie fühlt sich das an?" frage ich.
Max: „Klebrig." / Melih: „Meine Hände gehen nicht mehr auf." / Baran: „Klebrig." / Burak: „Fühlt sich gut an."
Sie klatschen in die Hände.
Melih: „Das ist schön." / Burak zieht die Hände langsam auseinander: „Sieht aus wie ein Popo-Loch!" /

Fotos: Riley Shot / photocase; Archiv Salman Ansari

Max: „Wie Gummi." / Melih: „Wie nass und wie Gold."

Nach dem Händewaschen: Max: „Leicht." / Melih: „Leicht."
/ Baran: „Leicht." / Burak: „Gut."
Jetzt das Harz. Max: „Riecht nach Entspannung." /
Baran: „Schleimig." / Melih: (macht Klebegeräusche)

Ich frage: „Was klebt mehr?"
Burak: „Vom Baum – das klebt mehr." / Baran: „Ja, wirklich mehr."

Nach dem Waschen: Burak: „Der Honig ging besser ab."
/ Melih: „Bei mir ist noch bisschen dran."
Ein Kind sagt: „Das Baumhonig klebt besser – war auch
Jahre im Baum drin!"

Von Bienen zu Baumverletzungen

Wir gehen zum Baum. Burak vermutet, dass das Harz (ich
habe dieses Wort immer noch nicht genannt!) die Rinde
am Baum festklebt. Er will ein Stück ablösen.

Ich halte ihn auf: Wenn ihr denkt, die Bienen haben
das gebracht – müsste man sie dann nicht sehen? Seht
ihr eine? — Alle: „Nein."

Ich zeige ein Foto mit und ohne Harz. Warum ist es hier
– und dort nicht? Max: „Weil da ist es zu – und da nicht."

Ich zeige auf meine Armhaut: Was passiert, wenn die
Haut weg ist?

Max: „Dann kommt Blut. Das ist wie eine Wunde am
Baum."
Und was macht man bei einer Wunde?
Burak: „Pflaster drauf."
Und beim Baum?
Burak: „Holz mit Kleber drauf."
Ich erkläre: Die Haut vom Baum heißt Rinde. Wenn die
ab ist, kommt Harz.

Sprachlich gefestigt – praktisch erweitert

Die Kinder malen die verletzte Stelle am Baum.
Wir schauen im Buch nach, wie man Bäume behandeln
kann. Einige Kinder haben immer noch Harzreste an den
Fingern – das Gespräch bleibt lebendig.
Laris sagt: „Bäume leben nicht echt – die können nicht
laufen."

Zum Schluss probieren wir nochmal Honig:
Wie schmeckt er?
Burak: „Lecker." / Max „Fruchtig." / Burak: „Süß." /
Laris: „Fruchtig und süß. Superduperknabberwörd!"

Anmerkung:

Die Gruppe war klein, die Atmosphäre entspannt, das
Lernen intensiv. Fünf Kinder waren beteiligt – sie hatten
am ersten Tag das vermeintliche „Honigzeug" entdeckt.

Am Ende bestimmte Melih mit einem Baumarten-Block
sogar die Baumart – und staunte: „So viele Bäume gibt
es?!"

SALMAN ANSARI ÜBER SEIN NEUES BUCH: MIT DER WELT SPRECHEN LERNEN

Warum Sprache der Anfang von allem ist — und Natur
ein wunderbarer Lernraum sein kann — für Sprachentwicklung,
Selbstwirksamkeit und Weltverstehen

„In Offenbacher Kitas arbeite ich mit Kindern aus aller Welt. Über 90 Prozent sprechen zu Hause kein Deutsch, viele nur wenige Wörter. Und selbst viele deutschsprachige Kinder bringen nur einen begrenzten Wortschatz mit. Das ist kein Mangel an Intelligenz — sondern ein Signal. Ein Anlass, genauer hinzuschauen.

Denn Sprache ist das Werkzeug, mit dem Menschen Welten bauen: Häuser, Beziehungen, Utopien. Sie verbindet, erklärt, sortiert — oder trennt, verwirrt und grenzt aus. Ohne Sprache kein Denken, keine Verständigung, keine Mitgestaltung.

Wer hier aufwächst, muss Deutsch lernen — nicht als Pflicht, sondern als Schlüssel zur Welt.

Sprache wächst im Dialog: mit Fragen, Geschichten, Streit, Musik, Trost und Alltag. Je lebendiger die Umgebung, desto mehr entfaltet sich das Sprachvermögen — und mit ihm das Denken, das Verstehen, das Handeln. Deshalb: Alles, was wir im Alltag tun, ist Sprachbildung — ob beim Frühstück, im Rollenspiel oder auf der Wiese.

Natur ist dafür ein großartiger Lernraum: lebendig, sinnlich, voller Fragen. Kinder lernen dort, indem sie sehen, staunen, forschen, erzählen. Lernen beginnt nicht im Kopf, sondern in den Sinnen. Mein neues Buch erzählt von solchen Räumen: gewachsen in der Praxis, gemeinsam mit engagierten Kita-Teams in Brennpunkten. Es zeigt, wie Natur zu einem Ort wird, an dem Sprache, Selbstwirksamkeit und Weltverstehen zusammenfinden — spielerisch, neugierig, echt.“

NEU

MIT DER WELT SPRECHEN LERNEN

Natur- und Sprachbildung in der frühen Kindheit

SALMAN ANSARI

wamiki

Salman Ansari
Mit der Welt sprechen lernen
226 Seiten, mit vielen Fotos
22,00 Euro
ISBN 978-3-96791-011-7
Zu beziehen im wamiki-shop:
wamiki.de/shop
oder im Buchhandel

2.

WUNDERN

DIE BNE-BRILLE — UND WAS MAN SIEHT, WENN MAN SIE PUTZT

Von Hochbeeten, Geburtstagkisten und dem Mut, Dinge zu verändern:
Erzieherin Anne Siebart erzählt im Gespräch mit Lena von wamiki, wie Nachhaltigkeit
in ihrer Kita Wurzeln schlägt – Tag für Tag.

Lena: Wie kam es dazu, dass ihr euch mit Bildung für nachhaltige Entwicklung, kurz BNE, intensiver beschäftigt habt?

Anne: Ich bin sehr naturverbunden – und habe es wohl geschafft, die Kinder mit meiner Begeisterung anzustecken. Wir haben uns zum Beispiel gefragt, warum Äpfel aus dem Supermarkt keine Würmer haben, die aus unserem Garten aber schon. Schmecken die Äpfel mit den Würmern besser? Was sind das überhaupt für Tiere? Wo kommen die her? Und was daran soll eigentlich schlimm sein? Solche Fragen führen mitten ins Forschen – und in die Haltung dahinter: Staunen, Aushalten, Zusammenhänge entdecken.

Während des Zertifizierungsprozesses zur Naturpark-Kita in Kooperation mit dem Natur- und Geopark TERRA.vita rückte das Thema BNE stärker in den Fokus. Wir haben genau hingeschaut und gemerkt: Vieles machen wir schon intuitiv – aber wir wollten BNE bewusster gestalten.

Lena: Was genau bedeutet denn Naturpark-Kita?

Anne: Naturparks weisen regionale Besonderheiten auf – in unserem Fall bspw. die Saurierspuren in Bad Essen. Die Parks leisten Beiträge zur Regionalentwicklung und Umweltbildung. Wir als Kita profitieren von den Experten und Bildungsnetzwerken, Kinder lernen dadurch Natur- und Kulturzusammenhänge kennen, erleben ihr Umfeld neu. Im Gegenzug bringen wir die Perspektive der Familien und Kinder ein: Was brauchen sie, um solche Angebote zu nutzen? Welche Barrieren gibt es? Ein Beispiel: Es gibt inzwischen Führungen in Gebärdensprache – angestoßen durch unsere Kita, weil wir gebärdenunterstützte Kommunikation im Alltag nutzen.

Lena: Wie habt ihr BNE konkret ins Team gebracht?

Anne: Ich habe während meines Studiums Soziale Arbeit die Zertifizierung zur Naturpark-Kita begleitet. Niemand wusste so richtig, was BNE eigentlich ist. Also haben wir gemeinsam angefangen – mit einem Bewegungsspiel zu den 17 Nachhaltigkeitszielen: Wer ein Ziel wichtig fand, ging einen Schritt vor, wer zweifelte, blieb stehen oder trat zurück.

Fotos: links: Getty Images / unsplash / unsplash; rechts: suschaa / Photocase

Plötzlich standen wir uns im Weg – ein starkes Bild dafür, wie unterschiedliche Perspektiven Bewegung, Stillstand oder Kompromisse erzeugen.

Danach haben wir unseren Alltag durch die „BNE-Brille" betrachtet: Hausschuhe, Geburtstagsfeste, Geschenke – kleine Dinge, die große Fragen aufwerfen.

Zum Beispiel: Müssen Kinder materielle Geschenke bekommen? Oder kann gemeinsame Zeit das Geschenk sein? Wie gehen wir mit kulturellen Unterschieden um?

So entstanden neue Sichtweisen – und manchmal ganz einfache Lösungen.

Wir haben gemerkt: Wir machen schon viel. Aber BNE hilft, anders hinzuschauen – oder, wie ich sage, „die Brille mal wieder zu putzen". Wir lernen, Alltagssituationen neu bzw. ganzheitlicher zu sehen.

Lena: Wie hält euer Team diesen Prozess lebendig?

Anne: Wir versuchen, BNE als festen Punkt in der Dienstbesprechung zu verankern. Natürlich gibt es Begeisterte und Skeptikerinnen. Manche sehen BNE als Zusatzbelastung. Ich sage dann: „BNE ist kein Zusatztopf – es ist der Topf." Alles, was wir tun, gehört hinein. Es geht darum, was wir hineingeben – damit das, was wir kochen, am Ende auch schmeckt. Kurz: Bildung für nachhaltige Entwicklung ist keine Extra-Aufgabe, sondern eine Haltung!

Wenn Themen aufkommen, hole ich gern die Karten vom BNE-Lernspiel „Am Riff" hervor. Sie helfen, Diskussionen zu strukturieren und Perspektiven zu wechseln. So haben wir etwa überlegt, wie wir bestimmte Kita-Strukturen nachhaltiger gestalten können – mit Trinkwasserspendern statt Plastikflaschen, waschbaren Handtuchrollen, Hochbeeten und einem hochwertigen regional und saisonal orientiertem Catering.

Lena: Haben sich die Kinder verändert?

Anne: Ja, sie übernehmen mehr Verantwortung. Wir haben Hochbeete angelegt, Gemüse angebaut, gepflegt, geerntet, daraus Suppe gekocht und beim Laternenfest verkauft. Der „magische Obstkorb" wird von den Kindern gepflegt, geerntet und bewacht – niemand darf einfach etwas mitnehmen. Sie sagen: „Das ist unsere Zucchini!"

Sie denken über Gerechtigkeit nach – beim Essen, bei Geschenken, beim Tauschtisch, wo sie Spielsachen tauschen oder verschenken. Sie sehen, dass sie etwas bewirken können. Und sie sprechen darüber – selbstbewusst, ernsthaft und mitreißend.

Lena: Was rätst du Teams, die gerade anfangen?

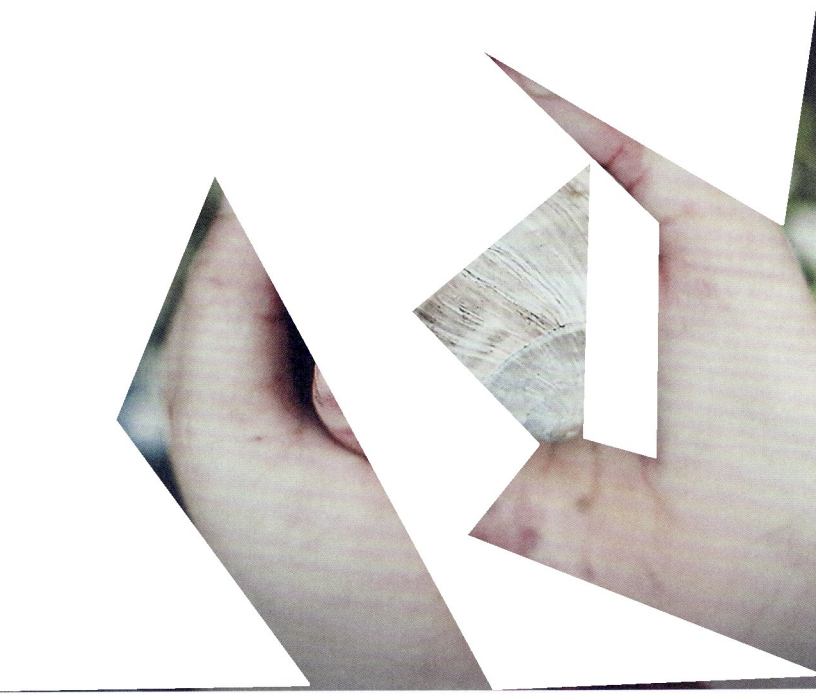

Anne: Mit Begeisterung starten. Begeisterung steckt an – Kinder, Eltern, Kolleginnen und Kollegen. Dann dranbleiben, neugierig bleiben, nicht belehren, sondern gemeinsam lernen. Netzwerke nutzen, Menschen mit unterschiedlichem Wissen einbeziehen.

Auf dem Treffen des Partnernetzwerkes in Chemnitz habe ich erlebt, wie inspirierend der Austausch ist. Wir planen nun zum Beispiel, mit Tischlereien zu kooperieren, um Holzreste für Projekte zu nutzen – ein kleines Beispiel dafür, wie BNE in den Sozialraum hineinwachsen kann.

Lena: Was hat dich persönlich am meisten verändert?

Anne: Ich habe gelernt, geduldiger zu sein – mit mir, mit dem Team, mit den Prozessen. BNE ist kein Sprint. Es geht um Haltungen, die wachsen dürfen.

Wir begegnen Kindern mit Offenheit, Fehlerfreundlichkeit und Geduld. Dasselbe gilt für uns Erwachsene. Auch ein langsames Tempo ist ein Tempo.

Ich wünsche mir, dass wir das tatsächlich leben: Unterschiede anerkennen, Stärken entdecken, Fehler als Lernmomente sehen. So wie bei den Kindern – jeder Mensch hat seinen Schatz. Manchmal muss man ihn nur suchen, am besten gemeinsam.

Anne Siebart arbeitet in einem Kindergarten in Melle, Niedersachsen – mit 120 Kindern, zwei Integrationsgruppen, zwei Krippengruppen und zwei Regelgruppen im Ganztag.
Gemeinsam mit ihrem Team hat sie das Lernspiel "Am Riff" ausprobiert, um Nachhaltigkeit in der Kita lebendig zu verankern.

TIPPS

BNE-was? Worum geht es überhaupt? Und was können wir tun?
Eine Zusammenfassung gibt es hier:
https://wamiki.de/article/macht-ernst/

BNE-Brille: wamiki empfiehlt den BNE-Fokussator von Dorothee Jacobs.
So geht's: Das Thema in die Mitte schreiben – es in allen vier Nachhaltigkeitsdimensionen ergründen – Stichworte im jeweiligen Fenster notieren.
Kostenlos herunterzuladen unter:
https://kurzlinks.de/5wan

Am Riff – Das Lernspiel für Teams
Wie lässt sich Bildung für nachhaltige Entwicklung lebendig ins Team bringen? Das Lernspiel „Am Riff", entwickelt von wamiki mit Partnerinnen aus dem Forum und dem Partnerwerk Frühkindliche Bildung, übersetzt den Referenzrahmen für die frühkindliche Bildung direkt in die Praxis von Kitas, Horten und Schulen. So geht's: Jede Woche spielen Teams eine neue Etappe, beleben ihr eigenes „Riff" mit Fischen und reflektieren Veränderungen im Alltag. Untätigkeit hat Folgen – jede Woche „stirbt" ein Fisch. Das Spiel macht spürbar: Handeln zählt. Ziel: BNE erlebbar machen, Entscheidungsfähigkeit stärken und nachhaltiges Denken im Sinne des Whole-Institution-Approach verankern. Material: DIN-A1-Poster als Spielbrett, Fisch-Post-its, Start- und Aktionskarten. Entstanden in einem Co-Design-Prozess mit Fachkräften aus der Praxis. Bezug: Das Spiel ist kostenfrei bestellbar. Poster, Karten und Anleitung gibt's auch als Download – damit jedes Team sein eigenes Riff wachsen lassen kann. —>
https://kurzlinks.de/93ab

Der Referenzrahmen für die frühkindliche Bildung
Das Arbeitsmaterial unterstützt Kitas und Träger dabei, BNE als Haltung und Struktur in ihrer Einrichtung zu verankern – Schritt für Schritt, gemeinsam, dauerhaft.
Bezug: https://kurzlinks.de/c9vi

WARUM STAUNEN BILDUNGSZEIT IST

Manchmal genügt ein Regenbogen, ein plötzlicher Vogelruf, eine Melodie oder ein Gedanke – und für einen Moment hält alles inne.

Das ist *awe*: Ehrfurcht, Staunen – oder *wonder*: Wundern, Verwunderung. Solche Erlebnisse entstehen, wenn wir etwas Größerem, Überraschendem oder Schönem begegnen. Sie berühren tief. Sie lassen uns spüren: *Ich bin Teil von etwas Größerem.* Das Ich tritt zurück, Verbundenheit, Dankbarkeit oder Demut treten hervor.

Die Forschung nennt solche Gefühle transzendente Emotionen. Dazu gehören Staunen, Mitgefühl, Inspiration oder Dankbarkeit. Sie öffnen das Erleben über das eigene Ich hinaus – hin zu anderen Menschen, zur Natur, zum großen Ganzen.

Sie verbinden statt zu trennen – und können Angst, Kontrollbedürfnis und Egozentrik verwandeln in Vertrauen, Offenheit und Zugehörigkeit.

STAUNEN ALS BILDUNGSQUELLE

Die Bildungsforscherin Antje Brock vom Institut Futur der FU Berlin beschreibt Staunen als eine Kraft, die Bildung menschlich, tief und zukunftsorientiert macht.

Denn Staunen führt über das eigene Ich hinaus und stiftet Verbindung – mit Menschen, mit der Natur, mit der Welt. Es löst Ich-Zentrierung, schafft Wärme, Vertrauen und Dankbarkeit. Genau das macht pädagogische Beziehungen lebendig: Kinder erleben sich geborgen und zugleich frei, offen für Begegnung und Entdeckung.

Staunen besitzt auch eine epistemische Kraft – es öffnet für neues Wissen. Wer staunt, hält Unerwartetes für möglich. Gewissheiten „verflüssigen" sich, Routinen geraten in Bewegung.

Lernen geschieht dann nicht durch Druck oder Erklärung, sondern aus echtem Interesse. Kinder – und Erwachsene – beginnen zu fragen, zu forschen, zu begreifen.

Aus diesem Gefühl des Eingebundenseins entsteht Fürsorge und Empathie:

Wer sich als Teil des Ganzen erlebt, übernimmt leichter Mitverantwortung – nicht aus Pflicht, sondern aus Verbundenheit. So wird Staunen zur Quelle einer Haltung, die Nachhaltigkeit trägt. Gleichzeitig wirkt Staunen als Gegengewicht zu Angst und Kontrolle.

In Zeiten von Krisen oder Überforderung brauchen Kinder und Erwachsene Räume, in denen sie einfach staunen dürfen – ohne gleich „verstehen" oder „handeln" zu müssen.

Staunen stärkt Vertrauen in Prozesse und öffnet den Blick für Möglichkeiten. Und es kann Glücks- und Flow-Erfahrungen auslösen. Wenn Kinder im Spiel versinken, wenn die Zeit stillsteht, wenn alles zusammenpasst – entsteht Sinn.

Solche Momente nähren Widerstandskraft gegen Resignation und Erschöpfung – im Team ebenso wie bei den Kindern.

STAUNEN IN DER BNE – BILDUNG MIT HERZ UND SINN

Bildung für nachhaltige Entwicklung (BNE) will nicht nur Wissen über Probleme vermitteln, sondern Haltungen und Handlungsfähigkeit stärken.

Antje Brock betont: Staunen zeigt die positive Seite von Nachhaltigkeitsbildung. Es weckt Lust, sich einzubringen, und verbindet Erkenntnis mit Freude.

Staunen ist zudem eine verkörperlichte Erfahrung – keine Kopfsache, sondern ein Erleben mit allen Sinnen.

Kinder tasten, riechen, spüren, fragen, lachen.

So verbindet Staunen Denken, Fühlen und Körper – und macht Bildung ganzheitlich.

DER DUFT VON SOMMERREGEN

Klettern im Kirschbaum, Wildschweine im Wald, Gurken im Gewächshaus: Erinnerungen, die nach Erde riechen und nach Zukunft schmecken.

In Chemnitz entstehen daraus Kunstwerke und neue Ideen für Bildung und Nachhaltigkeit.

Fotos: Ellen Isabell Richter

Wenn Melanie Hartwig über ihre Arbeit spricht, geht es schnell um große Fragen – Verantwortung, Bildung und die Verbindung zwischen Mensch und Natur. Die Umweltwissenschaftlerin arbeitet im Umweltzentrum Chemnitz und engagiert sich seit Jahren dafür, nachhaltiges Denken im Alltag erfahrbar zu machen. „Viele schieben Verantwortung auf die nächste Generation", sagt sie. „Aber Nachhaltigkeit beginnt bei uns – hier und heute."

Als die Ausstellung *Bordercrossings* nach Chemnitz kam, sah sie darin eine Chance, dieses Denken in Bewegung zu bringen. Gemeinsam mit der Künstlerin Isabell Richter entwickelte sie zwei Workshops, die Erinnerungen, Kunst und Nachhaltigkeit miteinander verknüpften.

Im ersten Workshop lud sie Menschen jeden Alters ein, von ihren prägendsten Naturerlebnissen zu erzählen – vom Klettern in den Baumkronen bis zum Geruch von Sommerregen. Diese Geschichten verwandelten sich in eindrucksvolle Naturporträts: Fotografien, die mit Projektionen, Licht und Naturmaterialien arbeiteten. „Die Bilder zeigen, wie tief Naturerfahrungen im Menschen verankert sind", sagt Hartwig.

Im zweiten Workshop wurde der Blick in die Zukunft gerichtet. Auf Grundlage der Porträts entstand die Idee eines Förderkatalogs für Naturerfahrungen – ein praktisches Werkzeug, das zeigt, wo Kinder in Chemnitz Natur erleben können, welche Räume fehlen und wie sie geschaffen werden können.

Tina – Einfach draußen sein
Tina zog es immer hinaus – allein oder mit einem Freund. Sie lag stundenlang in der Sommerwiese, hörte den Grillen zu, fühlte den Wind im Gesicht. Am liebsten kletterte sie auf den alten Kirschbaum, ganz bis oben in die Krone. Von dort sah sie weit über alles hinweg und fühlte sich frei, ganz bei sich und der Welt.

Für Familien soll daraus ein Jahreskalender mit Naturideen entstehen, für Pädagog:innen und Verwaltung ein Leitfaden zum Handeln.

Melanie Hartwig ist überzeugt: Nachhaltigkeit beginnt mit einer Erinnerung – mit dem Staunen über etwas Lebendiges. „Wer als Kind Natur erlebt hat, trägt sie im Herzen. Und wer sie im Herzen trägt, wird sie schützen."

Kontakt: Melanie Hartwig,
E-Mail: umweltzentrum@stadt-chemnitz.de

Meine Mutter Natur — Erinnerungen…

Catha – Mit Pferd durch die Natur
Catha verbrachte ihre Kindheit auf einer Ranch. Mit zwölf bekam sie ihren Haflingerwallach Jack – ihr Herzenspferd. Sie ritt durch Wind und Wetter, spürte das Fell, den Rhythmus, den Atem des Tieres. Diese Ausritte waren für sie Momente reiner Freiheit. Bis heute trägt sie Jacks Duft und die Erinnerung an ihre gemeinsame Zeit im Herzen.

Mella – Der Duftgarten der Großeltern
An Wochenenden und in den Ferien war Mella immer im Garten der Großeltern, gleich hinter dem Flussdamm. Sie sog die Düfte auf: die pastellorangen Rosen am Tor, die frischen Gurken im Gewächshaus, Pfirsiche beim Ernten, die Brise vom Fluss, den Geruch nach Sommerregen. Dieses kleine Paradies schenkte ihr Geborgenheit – und die Freiheit, durch das Grün zu streifen. Es waren Frühlinge und Sommer voller Leichtigkeit.

Benjamin – Immer draußen als Kind
Benjamin war ein echtes Draußenkind. Schon im Kindergarten baute er Flöße aus Rinde und Schafswolle, ließ sie über das Wasser gleiten. Mit seiner Gruppe zog er regelmäßig in den Wald, baute Unterstände, beobachtete Kaulquappen, matschte mit Hingabe. Auch mit seiner Familie war er wöchentlich dort – der Wald war sein zweites Zuhause.

Fotos: Ellen Isabell Richter

... an Kindheit und Draußensein

Tino – Leben mit Tieren

Tino wuchs auf dem Bauernhof seiner Eltern auf. Er liebte es, über Strohballen zu hüpfen, Zäune zu bauen, Steine von den Feldern zu sammeln. Wenn ein Kalb geboren wurde, half er mit – wischte das nasse Fell trocken, gab ihm warme Milch. Besonders blieb der Moment, als der Tierarzt ein feststeckendes Kalb per Kaiserschnitt zur Welt holte – voller Spannung, Gerüche, Leben.

Emil – Ein Familienausflug mit Beobachtungsposten

Mit sechs saß Emil mit Oma und Opa auf einer Bank am See beim Tierpark. Zwischen kahlen Herbstbäumen beobachteten sie zwei Eichhörn- chen – eines schwarz, eines rotbraun. Das größere jagte das kleinere, bis es sich rettend in den Kobel flüchtete. Emil hielt den Atem an. Ein stiller Moment, spannend und friedlich zugleich.

Ole – Mit den Großeltern durchs Unterholz

Ole war neun, als er mit seinem Bruder und den Großeltern durch den Thüringer Wald wanderte. Sie schlugen sich durchs Unterholz, als plötzlich eine Rotte Wildschweine mit Frischlingen den Weg kreuzte. Ole stand still, das Herz klopfte – doch Angst spürte er nicht. Zum ersten Mal sah er wilde Tiere in ihrer ganzen Kraft.

"

Diese Erinnerungen erzählen von Nähe, Bewegung, Gerüchen und Licht. Sie zeigen, was Natur für uns sein kann: Geborgenheit, Freiheit, Staunen, Verantwortung – und das Gefühl, lebendig zu sein. Ein Raum, in dem wir spüren, dass wir alle Teil von ihr sind.

3.
WACHSEN

WIND MACHEN — BIS ZUM UMFALLEN

Interview: Erika Berthold
Fotos: Christiane Feuersenger

Mikrotransition in der Kita — und zwar bei den Jüngsten.

Was das ist, worum es dabei geht und wie es sich mit Offener Arbeit verbindet, das erklärt und erzählt Christiane Feuersenger im wamiki-Interview.

Was ist mit Mikrotransition gemeint?

Das Wort Transition heißt Übergang. Und Mikrotransition bedeutet: kleiner Übergang.

Soviel ich weiß, brachte Dorothee Gutknecht den Begriff Mikrotransition in die Kita-Debatte ein, und zwar in Bezug auf die jüngsten Kinder. Für mich war interessant, dass sie die ganz kleinen Übergänge am Tag wichtig fand, weil die darüber entscheiden, ob sich Kinder in der Kita wirklich wohl fühlen oder nicht. Das sind natürlich die Übergänge zu pflegerischen Situationen, die ja bei den Jüngsten eine besondere Rolle spielen, aber auch Übergänge vom Spiel zum Essen, vom Essen zum Schlafen oder von draußen nach drinnen und umgekehrt, die es am Tag immer wieder gibt und die man sich mal genauer angucken muss.

Warum?

Es geht darum, ob alles dem Lebensfluss der Kinder entspricht – panta rhei – oder ob die Zeit der Kinder nach den Zeitvorstellungen der Erwachsenen getaktet wird. Meistens ist es nämlich so, dass kleine Kinder in Stress geraten, zum Beispiel weil zehn von ihnen in der Garderobe nacheinander angezogen werden. Die einen müssen warten, bis sie dran sind, die anderen schwitzen schon. Oder der Übergang vom Essen zum Schlafen: Mit kleinen Kindern zu essen und sie anschließend in den Schlaf zu begleiten, das ist eine herausfordernde Situation. Manchmal hatte ich den Eindruck, dass Erzieherinnen froh sind, wenn sie die Essenssituation hinter sich haben. Jemand sagte mir mal: „Hauptsache, wir kommen da durch, bis alle Kinder liegen und wir Pause machen können." Es erstaunt mich oft, mit welcher Selbstverständlichkeit man davon ausgeht, dass Kinder in der Kita eben warten oder sich beeilen müssen. Anna Tardos sagte dazu: „... Eile mit einem Kind (ist) im gewissen Maße auch Gewalt..." Jedenfalls kann zum Beispiel das Mittagessen und der Übergang zum Schlafen eine Situation mit hoher Stressbelastung für Kinder und Erwachsene sein. Wenn sie so organisiert wird, dass kein Stress für die Kinder entsteht, haben auch wir Erwachsene meistens keinen Stress.

Aber was macht eine Erzieherin, die selbst Hunger bekommt, wenn die Kinder essen? Was macht sie mit ihrem Gefühl? Oder was macht das Gefühl mit ihr? Sie kann unter Druck geraten und deshalb froh sein, wenn die Kinder mit dem Essen bald fertig sind.

Übrigens dürfen die Erzieherinnen in manchen Kitas nicht mitessen – maximal ein pädagogischer Kostehappen ist drin. Eine dänische Sozialpädagogin, die ihr Kind bei uns hatte, konnte das nicht verstehen. Bei ihr in Dänemark gab es ein pädagogisches Mittagessen für die Erwachsenen, die mit Kindern gemeinsam aßen. Sie war froh, dass bei uns kleine und große Menschen zusammen aßen und ihre Tochter wunderbare Beziehungssituationen erleben konnte.

Das klingt gut, aber wie ist es hinzukriegen?

Das mit dem pädagogischen Mittagessen könnte auf Leitungs- und Trägerebene geklärt werden. Was den Übergang vom Mittagessen zum Schlafen der Jüngsten anbelangt, schickte mir mal eine Kollegin Fotos von solch einer Situation und beschrieb sie mir auch. Da dachte ich: Donnerwetter! Die sind im Nest ja weiter, als ich mir hätte träumen lassen.

Im Nestbereich arbeiteten damals vier Erzieherinnen. Sie hatten für sich eine Art inneres Konzept gefunden, wie sie damit umgehen können, dass Kinder noch essen, während andere eine neue Windel bekommen, schon schlafen, noch spielen wollen oder vielleicht sogar im Garten sind.

Die beiden zweijährigen Jungen auf den Fotos waren die letzten beim Essen. Als sie fertig waren, gingen sie mit Julia in den Nestbereich. Dort setzte Julia sich hin und wartete ab, was passieren würde. Das machen auch die anderen Kolleginnen so, erklärte sie mir. Ich glaube, es ist hohe pädagogische Kunst im Alltag, Kindern Zeit zu geben und gleichzeitig den Moment abzupassen, in dem ein Kind bereit ist, sich auf eine neue Situation einzulassen.

Wie ist es denn bei uns Erwachsenen? Wenn wir schön gegessen haben, werden wir…

… ein bisschen träge oder müde.

So ist das bei den Kindern auch. Guckt eins schon so, als fallen ihm gleich die Augen zu, sagt die Erzieherin: „Ich gehe jetzt kuscheln. Kommst du mit?" Dann tippelt das Kind hinterher. Bevor es das tut, kann es auf einem Tablett auswählen, was es mitnehmen möchte: seine Flasche mit Tee oder einen Becher mit Wasser, einen Nuckel oder das Schnuffeltuch. Manche Kinder brauchen auch gar nichts. Jedenfalls geht das Kind mit, die Kollegin legt sich hin, das Kind legt sich daneben und schläft ein.

Bei den beiden Jungen war es aber anders. Sie waren noch nicht bereit zum Schlafen, holten ihre Handtücher

und machten damit Wind. Dieses Ritual kannten sie. Wenn sie sich hinlegten, kam meist eine Erzieherin und fragte: „Soll ich die Betten schütteln wie Frau Holle?" Hatten die Kinder Lust darauf, schüttelte sie eine Decke und sang dazu ein Lied.

Die beiden Jungen machten etwas ganz Ähnliches: Sie schüttelten ihre Handtücher mit aller Kraft und wedelten sich die Luft gegenseitig zu. Man könnte vermuten, dass sie zusammen innerlich und äußerlich in Schwingungen gerieten und dabei dermaßen viel Spaß hatten, dass sie sich vollkommen verausgabten. Das sah Julia, holte schnell ein paar Matratzen, die beiden Junge ließen sich, als sie genug hatten, erschöpft darauf fallen und schliefen sofort ein.

In der Situation habe sie keinerlei inneren Druck verspürt, erzählte Julia mir, denn sie wusste, dass niemand denkt: Was vergnügt diese Frau sich da mit den Kindern, die müssten doch längst schlafen? Es war nämlich schon kurz vor 13 Uhr, und um 11 Uhr begann das Mittagessen für die Jüngsten. Das heißt: Es gab ein großes Zeitfenster, in dem die Kinder ihren Bedürfnissen entsprechend vom Essen zum Schlafen übergehen konnten. Das hatten diese beiden Jungen auch getan. Beim Wind-Machen lachten sie sich schlapp und schüttelten sich schließlich in den Schlaf.

Du hast vorhin ein inneres Konzept erwähnt, dem die Erzieherinnen im Nest folgten. Was hast du damit gemeint?

Hier zeigt sich die unsichtbare Seite der Offenen Arbeit, die Gerd Regel als Idee der Offenheit bezeichnete. Welche Haltung, welche inneren Bilder habe ich? Bin ich bereit, Ungewissheiten auszuhalten? Habe ich den Mut, dafür zu sorgen, dass sich etwas entwickeln kann, obwohl ich nicht weiß, was am Ende dabei herauskommt? Bin ich bereit, mich von den Kindern beeinflussen zu lassen? Das hatte die Erzieherin, von der ich hier erzähle, getan – und das macht den Kern der Sache aus. Sie konnte sich so flexibel verhalten, weil sie sich auf einen sicheren Rahmen – passende Räume, zeitliche Flexibilisierung und die Organisation im Team – verlassen konnte. Hier kommt die Idee der Öffnung als sichtbare Seite der Offenen Arbeit ins Spiel. Beide Seiten hängen zusammen. Gute Offene Arbeit kann man daran erkennen, dass die Organisation sich nach den Bedürfnissen der Kinder richtet und nicht umgekehrt.

Welche organisatorischen Bedingungen ermöglichen so etwas?

Bei uns war es zum Beispiel eine Schiebetür, mit der sich der Schlafraum flexibel vom Spielraum trennen lässt. Wir hatten sie einsetzen lassen, weil wir gemerkt hatten, dass die Kinder unterschiedliche Schlafrhythmen und -bedürfnisse haben. Gäbe es diese Tür nicht, hätten die Jungen im Spielraum nicht rumtoben und Wind machen können.

Solche Bedingungen braucht man in der Offenen Arbeit. Wenn es daran hapert, muss man etwas verändern. Für uns war es zum Beispiel wichtig, diese Tür einzubauen und die Zeit anders einzuteilen.

Die Erzieherinnen im Nest hatten die Zeit so strukturiert, dass sie gleichzeitig mit Kindern draußen, beim Essen und im Schlafraum sein konnten. Zum Beispiel konnte eine von ihnen wie ein Shuttle-Service fungieren und sagen: „Die Julia sitzt mit drei Kindern schon beim Essen. Wollt ihr auch reingehen? Oder wollt ihr noch spielen?" Je nachdem, wie sich die Kinder entschieden, konnte sie sie begleiten. Es gab ein Zeitfenster von 11 Uhr bis 13 Uhr, und wenn nötig, blieb es länger offen. Dabei konnte es passieren, dass Kinder, die als erste aßen, manchmal schon wieder wach waren, wenn die letzten zum Kuscheln kamen. Dafür müssen die Rahmenbedingungen geschaffen werden, wenn man es mit der Offenen Arbeit ernst meint. Gerade für die Jüngsten muss es so sein, dass sie sich nicht unseren Bedingungen anpassen müssen, sondern dass sie ihre inneren Rhythmen weitestgehend beibehalten können, bis die sich im Laufe der Entwicklung allmählich verändern. Wir müssen also nicht die Kinder organisieren sondern uns. Gehen Teams wohlwollend auf die individuellen Neigungen, Interessen und Besonderheiten der Kinder ein, schaffen die erforderlichen räumlichen Bedingungen, richten großzügige Zeitfenster ein und arbeiten gut zusammen, dann haben sie auch etwas davon.

Was denn?

Stress-Situationen kommen kaum noch vor. Die Erzieherinnen werden gelassener, bemerken besondere Momente in der Entwicklung der Kinder, die sie sonst gar nicht mitgekriegt hätten, und können solche Momente genießen. Hätte Julia diese innere Uhr, die wie ein Treiber im Tagesablauf wirkt, nicht abgestellt, dann hätte sie die Situation mit den beiden Windmachern gar nicht wahrnehmen können. Sie beschrieb damals auch, was dieser Moment mit ihr gemacht hatte. Die Kinder hatten sie verzaubert. Deshalb griff sie zur Kamera und machte die Fotos.

Das Fotografieren hatten wir uns mehr oder weniger professionell angeeignet. Jeder Bereich hatte eine Kamera. Gegenseitig hatten wir uns ermutigt, darauf zu achten,

wo etwas Besonderes passieren könnte, das uns berührt. Wenn Kinder nicht wollten, fotografierten wir sie natürlich nicht oder zeigten ihnen die Bilder hinterher und fragten, ob das in Ordnung ist. Im Laufe der Zeit lernten wir, nicht einfach nur drauflos zu knipsen, sondern tatsächlich besondere Augenblicke festzuhalten, über die wir später im Team sprachen und sie den Eltern zeigen konnten, damit die sehen, was bei uns passiert.

Eltern fragen ja oft, ob ihre Kinder
in der Kita genug lernen.

Ja, und die Erzieherinnen sind die Fachleute. Sie müssen den Eltern erklären, dass genau das, was die Kinder in dieser konkreten Situation tun, im besten Sinne des Wortes Bildung ist.

Dazu brauchen sie Kitas, die Orte der Lebensfreude und der Abenteuerlust sind. Orte, an denen es für alle Extra-Würste geben kann. Dann klappt das mit der Bildung wie von Zauberhand.

Manche sagen aber:
„Bei uns kriegt niemand eine Extra-Wurst."

Schade, wenn es so ist. Jedes Kind sollte seine Extra-Wurst in der Kita bekommen. Das heißt für mich nichts anderes als: Auf unterschiedliche Kinder reagieren wir unterschiedlich, begleiten ihre individuelle Entwicklung differenziert und sorgen dafür, dass sie den Freiraum erhalten, den sie brauchen, um sich wohlzufühlen. Das ist ein Grundprinzip Offener Arbeit.

Christiane Feuersenger ist Erzieherin, Diplomsozialpädagogin, Kitagründerin und langjähriges Mitglied im Netzwerk Offene Arbeit Berlin/Brandenburg. Aktuell ist sie als freie Fortbildnerin tätig.

WIE KANN MAN LERNEN, BESONDERE MOMENTE IM ALLTAG MIT DEN JÜNGSTEN KINDERN WAHRZUNEHMEN?

Wiebke Wüstenberg ist Diplom-Pädagogin,
ausgebildet in systemischer Therapie/Beratung,
und war Professorin an der Fachhochschule
Frankfurt am Main:

Eigentlich können Erzieherinnen aus jeder Alltags-Situation etwas Besonderes oder Bedeutsames machen. Ein bezeichnendes Beispiel fand ich in einem Beitrag von Suallyn Mitchelmore, Sheila Degotardi und Alma Fleet[1]: Eltern hatten ihren Kindern, etwa anderthalb Jahre alt, selbst Lätzchen gemacht, aus welchem Grund auch immer. Diese Lätzchen wurden vor dem Mittagessen in der Kita ausgeteilt – ein von den Kindern geliebtes Ritual. Sie guckten sich die Lätzchen gern an, weil Bilder darauf waren. Nun hätte die Erzieherin sagen können: „Jetzt binde ich euch mal schnell die Lätzchen um, damit ihr essen könnt." Es war aber anders.

Auf dem Lätzchen eines Mädchens war das Bild eines Hundes. Natürlich konnte das Kind noch nicht viel sprechen, sondern machte nur „Wau, wau!" „Ah", sagte die Erzieherin, die wusste, dass es bei dem Mädchen zu Hause einen Hund gibt, „du hast deinen Hund auf dem Lätzchen gesehen, und der macht wau, wau." Da fingen die anderen Kinder, die alle zugehört hatten, auch an zu bellen.

Die Erzieherin hatte also von dem erzählt, was sie von dem Mädchen und seinem Zuhause wusste. Sofort hatten alle anderen Kinder etwas zu der Erzählung beigetragen – je nachdem, was sie an Lauten oder Bewegungen schon beherrschten.

Der Hund, das ist ja ein Thema, zu dem viele kleine Kinder etwas sagen, vokalisieren oder auf andere Weise ausdrücken können. Wenn so ein Thema in die Runde geht, wird ein Ereignis daraus, ein besonderer Moment. Hat man dafür ein Gespür, kann man an einem Kita-Tag fast jederzeit dafür sorgen, dass solche Ereignisse stattfinden. Aber man muss bereit sein, hinzugucken, mit den Kindern mitdenken, muss darauf achten, was in der Kindergruppe entsteht, sich darauf einlassen, vielleicht auch selbst etwas dazu beitragen – und schon steht etwas ganz Wichtiges im Mittelpunkt, ohne dass man es hat planen müssen.

Die Frage ist also: Lässt man sich die Zeit dafür? Oder klammert man sich an die vorgegebene Struktur und lässt sich nicht darauf ein, was im Moment entsteht. Wenn man davon ausgeht, dann und dann ist Mittagessen, dann und dann müssen die Kinder fertig sein, wäre so etwas wie mit dem Lätzchen gar nicht möglich.

In der beschriebenen Situation geht es ja nicht um eine Bilderbuchbetrachtung, sondern um ein Bild, auf das ein Kind reagiert. Die Erzieherin lässt sich darauf ein, guckt, was passiert, und so ergibt sich eine kleine Geschichte. Kinder, die noch kaum über Wortsprache verfügen, können viel dazu sagen – mit Händen und Füßen, Mimik und Gestik, mit Aufstehen und Hopsen. Aber man muss ihnen die Zeit dazu geben, ihnen Aufmerksamkeit schenken und bereit sein, sich auf die Kinder einzulassen, auf die Dynamik, die dann entsteht. Wenn es heißt: Jetzt wird gegessen, dann Händewaschen und Mittagsschlaf, weil das immer so ist, dann klappt das nicht. Also muss man sich entscheiden: Ist mir die Struktur wichtig oder sind mir die Kinder wichtig?

---

[1] Suallyn Mitchelmore, Sheila Degotardi, Alma Fleet (2017): The Richness of Everyday Moments: Bringing Visibility to the Qualities of Care Within Pedagogical Spaces. In: White, E. Jayne/Dalli, Carmen (ads.): Under-three Year Olds in Policy and Practice: pp.87–99

Auf Deutsch sinngemäß: Den Reichtum entdecken, der den alltäglichen Momenten innewohnt: Die Qualitäten in der Kindertagesbetreuung sichtbar machen.

Clash Royale

Am liebsten spielt Prinzessin Lena
in der Clash-Royale Arena!

Tief in ihren Gaming-Welten
hört sie nicht der Eltern Schelten,

als ein Spam-Frosch ganz in Grün,
entert ihren Cyber-Screen!

"Willst'um gold'ne Kugeln raufen?
Musste neue Spiel-Apps kaufen!!"

Lena hat zu wenig Cash –
Smartphone an der Wand macht Clash.

Wumms, die Mauer ist zerborsten!
Draußen wartet schon der Thorsten:

WENN RUBEN RUPFT

Auf diesen Seiten geht es um eine Situation, die man aus verschiedenen Perspektiven betrachten kann. Was ist Deine Perspektive?

Und was sagt Dein Team?

Text: Michael Fink

„LASST KINDER DEN WALD EROBERN", FORDERT WALTER.

Von meiner Landkindheit würdet ihr alle träumen: Nachmittags waren wir immer draußen. Ohne Mutti, ohne Kitatante mit Bildungsplan und tausend Regeln. Könnt ihr euch vorstellen, was wir da gemacht haben? Richtig, Staudämme gebaut und Bäche umgeleitet wie die Biber. Hütten gebaut wie die Indi... äh, First Nations, sagt man das so, Luna? Blätter und Stroh aufgetürmt und anzuzünden versucht. Unser Wäldchen sah immer aus, als wäre ne Rotte Wildschweine durchgefegt. Und heute? Da bin ich überzeugter Öko, weil ich die Natur damals lieben gelernt hatte.

Stellt euch mal vor, mir hätten Eltern und Erzieherinnen ständig gesagt: „Das bitte nicht abreißen, hier bitte nur ganz vorsichtig klettern, dort nicht graben..." Ist ja wohl klar, dass ich dann heute einen Bogen um jeden Wald machen würde, denn einen Ort, an dem alles außer Angucken verboten ist, trägt man nicht im Herzen. Also lasst die Kinder den Wald als echte Kinder erobern, nicht als Muster-Kinder.

„LEBE VOR, WAS DIR WERTVOLL IST", EMPFIEHLT SOPHIE.

Na, du hast ja ne komische Auffassung von Regeln, Walter. Ich glaube, du unterschätzt, dass Kinder Regeln durchaus umsetzen, wenn man sie ihnen glaubwürdig vorlebt. Wenn ich mit Kindern in den Wald gehe, lasse ich sie erleben, dass die Natur für mich kostbar ist. Schon beim Ankommen rede ich extra leise. Fragen die Kinder, warum ich das mache, erkläre ich ihnen, dass die Rehe oder Vögel Angst kriegen, wenn wir zu laut sind. Und pflücken wir mal Himbeeren, lasse ich immer einige am Strauch und erkläre, dass die Tiere auch was haben wollen. Das sind nur Kleinigkeiten, aber ich hoffe, dass die Kinder verstehen: Das ist weniger unser Wald, sondern vor allem der Lebensraum vieler Lebewesen vom Reh über den Baum bis zum Pilz. Wir sind hier zu Gast, und Gäste verhalten sich rücksichtsvoll, damit sie gerne gesehen sind und auch beim nächsten Besuch wieder einen schönen Wald vorfinden.

Abgesehen davon: Es gibt unzählige Spiele, die man im Wald spielen kann, ohne ihn dabei zu zerstören...

Heut geht's in den Wald. Ruben fragt seine Freundin Roua:
„Wollen wir wieder ganz viele Blätter abmachen und damit Blätterregen spielen?"

„Bitte spielt was anderes", sagt Sophie und erklärt: „Jeder Baum braucht seine Blätter. Deshalb heißt unsere Waldregeln Nr. 1: Nichts kaputtmachen!"

„WÄLZT EURE PROBLEME NICHT AUF DIE KINDER AB", RÄT BABS.

Wer macht denn den Wald mehr kaputt – Kinder, die 20 Blätter abrupfen? Oder Erwachsene, die nicht auf Konsum verzichten wollen, riesige Mengen an Holz verbrauchen, immer wieder neue Autobahnen durch die letzten Wälder bauen und mit ihren Abgasen die ganze Welt verpesten? Ich glaube, das könnt ihr euch selbst beantworten.

Und da wollt ihr Kinder glaubwürdig zu ökologischem Verhalten animieren? Weil man bei ihnen noch Regeln durchsetzen kann, an die sich kein Erwachsener halten würde?

Meint ihr nicht, dass die Kinder checken: Wir dürfen nicht mal ein Blümchen pflücken, weil ihr den ganzen Planeten immer mehr zerstört? Ich beantrage: Lasst die Anti-Rupf-Regel weg!

Wie seht Ihr die Sache?

„FRIEDE DEN BLÄTTERN, KRIEG DEN DAIMLERN", REBELLIERT LINO.

Richtiges Ziel, Babs, aber falsche Schlussfolgerung! Lass mich ausholen: Auf dem Weg zum Wald laufen wir doch durch die Siedlung und ermahnen die Kinder: Nicht bei den Nachbarn Blumen abrupfen! Nicht die Autos antatschen! Nicht quer über den Rasen laufen, weil der jemandem gehört! Wenn die Kinder das doof finden, sagen wir: „Im Wald könnt ihr gleich machen, was ihr wollt."

Schon mal überlegt, was wir da vermitteln? Hier gehört alles wem, deshalb muss man vorsichtig sein, aber im Wald ist nur wertloses Zeug zum Kaputtmachen. Das heißt: Mit der Natur darf man anstellen, was man will. Und genau diese Sicht macht unseren Planeten platt. Wer als Kind lernt, dass man sich im Wald „wie die Axt im Walde" verhalten darf, der geht als Erwachsener automatisch davon aus, dass die Natur zum Ausbeuten da ist.

Ganz ehrlich: Besser, am Daimler vom dicken Dr. Dengler Kratzer zu hinterlassen als unschuldigen Kiefern die Rinde abzupopeln. Ich finde, der Wald braucht Schonung und Regeln.

EINE WALDKITA FÜR WALSHAGEN

Auf einem abendlichen deutschen Kleinstadtmarktplatz: zwei einsame Jugendliche mit peinlich beklebten Skateboards, im Hintergrund eine mit ihrem Rollator im welliger Betonpflaster steckengebliebene Seniorin.

Im Hintergrund ein imposantes Fachwerkrathaus, dessen geöffnete Butzenscheibenfenster den Blick in den Großen Sitzungssaal im ersten Obergeschoss gestatten, in dem eine mit Tagungsgetränken gut ausgestattete Gruppe von BürgerInnenvertreterInnen mit dem Bürgermeister im Kitaausschuss zusammensitzt.

Text: Micha Fink

Bürgermeister Dr. Deneke:
Verehrte Anwesende, kommen wir nun zu Punkt 4, Antrag auf Errichtung – hm, sagt man das dann überhaupt? – oder Herrichtung eines Waldkindergartens, vulgo Waldkita, im schönen Erlenbruch. Vielleicht erklärt uns unsere junge Dame, Fräulein… äh, Frau Michaelis, die Leiterin unserer Wiesenfrösche, mal die Idee?

Frau Michaelis, übersprudelnd vor Engagement:
Also, wir würden gerne die Kita um eine Waldgruppe erweitern, ein Konzept, das aus Dänemark stammt…

Fraktionsvorsitzender Herman-Adolf Schroppschulte, Fraktion Alte native Deutschländer:
Müssen wir jetzt jede Marotte aus dem Ausland…

Frau Michaelis, unbeirrt:
… und in immer mehr Kommunen in Deutschland…

Fraktionsvorsitzender Schroppschulte:
… jede Marotte aus der links-grün versifften Bubble kopieren? Die Zeiten sind ernst, wir haben kein Geld mehr für Sozialexperimente!

Dr. Deneke:
Lassen Sie das junge Fräulein doch erst einmal ausreden. Beziehungsweise auf Herrn Schroppschultes Einwand eingehen, der auch uns interessiert: Ist dieses Konzept wirklich so teuer?

Frau Michaelis:
Ich glaube, eher nicht. Da braucht man kein Grundstück in der Stadt, keine Baukosten, keine Spielgeräte, keine Küche, nur ein Stück Wald…

Dr. Deneke, euphorisch:
Aber das klingt doch wun-der-bar! Kinder im Wald, herrlich! Was haben wir früher für glückliche Tage im Wald verbracht, auch wir Ratsherren! Die Ratsdamen *(suchender Blick zur Sozialstadträtin Dinshake)* vermutlich weniger, oder? Stundenlang haben wir Cowboy und Indianer… – sagt man das noch, Fräulein Michaelis? Ich sag's eh weiter.

Fraktionsvorsitzender Schroppschulte, bestimmt:
Allerdings, unseren schönen deutschen Wald macht uns keiner nach. Und in der Natur aufwachsen, das war für

uns früher bei der Wiking-Jug... äh, bei unseren völlig unpolitischen Wikingerspielen ja usus. Frisch, fromm, fröhlich, frei... Also, von unserer Seite besteht nun doch kein Einspruch gegen das Konzept.

Dr. Deneke, zupackend:
Wunderbar! Dann lassen Sie uns jetzt den Sack zuschnüren! Ich erteile das Wort unserem Dezernenten für Verkehr, Sicherheit und Ordnung, der uns mit den besonderen Anforderungen für eine solche Wald-Kita vertraut machen wird. Bitte sehr, Herr Dezernent!

Dezernent Thorbner, bleich und mit Brille:
Grundsätzlich ist eine Genehmigung einer sogenannten Waldkita nach Paragraph 34 Strich 56 Unterbuchstabe Doppel-B im Außenbereich oder im Randbereich zu einem sogenannten FFg3-Randgebiet nach Klasse BGS-W24 Strich 8 eher unproblematisch.

Gedanken müsste man sich über die Zuwegung machen. Ich gehe davon aus, dass die Eltern ihre Kinder im Regelfall mit dem Auto bringen. Und bei einer Waldkita bietet sich gerade für unsere Mütter die Nutzung des Familien-SUVs an. Weil diese Fahrzeuge immer breiter werden, müsste ein Kurzzeit-Parkplatz mit Meet-und-Greet-Zone mindestens 35 Quadratmeter Fläche haben, angebunden an eine passende Zufahrtstraße. Diese sollte für den Eventualfall der Begegnung des Fahrzeugs des Caterers oder des Miettoilettenservice allerdings eine Minimalbreite von 6,50 pro Richtungsfahrbahn haben...

Dr. Deneke, heiter:
Also, liebe Grüne Gut-Mitmenschen, aufgepasst: Straßenbau im Wald, pro Wiesenfrösche, aber contra Erdkröten.

Dezernent Thorbner:
... dazu kommt noch der zusätzliche Handymast für sicheren Empfang. Dann bräuchte die Waldkita meines Erachtens neben dem Gruppenaufenthalts-Bauwagen noch einen regensicheren Unterstand...

Dr. Deneke, süffisant:
... und nicht zu vergessen den gesonderten Ruhe-Bauwagen für unsere Damen! Herr Thorbner, welche Anforderungen bestehen im Hinblick auf die Auswahl des geeigneten Waldgrundstücks?

Dezernent Thorbner:
Sicherheitstechnisch bewegen wir uns da im Graubereich. Ich wäre für ein Minimum an Sicherheitsgrundregeln: Das Waldstück sollte mindestens keine Stolperstellen durch Steine, Astbruch und Totholz aufweisen. Die Bäume sollten keine Kleinteile von unter 43 Millimetern Normschlundgröße abwerfen, mehrstämmige Bäume sollten mindestens 30 Zentimeter Einzelstammabstand haben, zwecks Verhinderung des Einklemmens von...

Frau Michaelis schluckt hörbar.
Dezernent Thorbner:
... Kinderköpfen. Dann bedarf es der Ansiedlung bekletterbarer Baumarten, sofern der vorhandene Bewuchs in Absprache mit der unteren Forstbehörde überhaupt entnommen werden kann, dazu ein Aufprallschutz aus weichem Mulch und ein unüberwindbarer Zaun um den Karpfenpfuhl. In rechtlicher Hinsicht wäre es mindestens angebracht, für die Entnahme von eventuell vorbeikommenden Wildschweinen, sogenannten Kampf-Rehböcken und sicherheitshalber auch Wölfen und Bären eine Ausnahmegenehmigung nach Jagdschutzgesetz vorzubereiten...

Frau Michaelis erbleicht sichtbar.

Dr. Deneke, bedauernd:
Darüber hat unser Fräulein Michaelis nicht nachgedacht, aber sie ist ja auch fürs Pädagogische zuständig und nicht für das Drumherum. Wer von den Herrschaften mit Familie kennt das nicht? Wie dem auch sei – hat jemand einen Lösungsvorschlag?

Sozialstadträtin Dinshake:
Wollen wir die Standortfrage noch einmal neu durchdenken? Vielleicht gibt es anstelle des Flurstücks Erlenbruch ein Grundstück, das den Erholungswert des Waldes ohne diese leidigen Sicherheitsanforderungen bietet.

Herr Klöbner, Fraktionschef der Sehr freien Wähler und Baumarktbesitzer:
Ha, ich hab's! Ich könnte dem Kindergarten anbieten, den unbenutzten Kleintransporter-Parkplatz unseres Marktes zu nutzen. Der liegt direkt am Rand des ehemaligen Wäldchens, ist aber durch einen Zaun getrennt, hat durchgehend glatten Boden, sogar schon mit vorgezeichneten Park- äh, Spielbereichen. Und ist gut beleuchtet durch die Flutlichtmasten.

Die Kinder könnten sogar die Klos von der Bäckereikette benutzen. Ich persönlich würde für die Wald-Optik schöne Koniferen stiften – grün und ohne Klettergefahr. Dazu noch ein Lattenspalier, im Spielbereich großzügig ausgelegten Kunstrasen, und bei schlechter Witterung wäre sogar der überdachte Teil der Gartenabteilung nutzbar. Wenn personell mal Not am Mann ist, dann hilft unsere Vanessa vom Holzschnitt mit – die hat schon ganz andere Kaliber kleingekriegt. *Lacht krächzend.*

Dr. Deneke, triumphierend:
Noch Einwände? Nein? Herzlichen Glückwunsch! Walshagen hat seinen Waldkindergarten.

IM HAUS DER GEFÜHLE

– und was das mit Bildung und Politik zu tun hat

Harald Welzer lädt uns ein, das eigene Innenleben wie ein Haus zu betreten.

Ein Haus mit vielen Zimmern: hellen, belebten, aber auch zugigen, vergessenen, verschlossenen. Dort wohnen unsere Gefühle – Freude, Vertrauen, Neugier, aber auch Angst, Wut oder Scham. Dieses Haus ist kein Zufallsbau. Es entsteht aus Herkunft, Beziehung, Erinnerung – aus dem, was uns geprägt hat und was wir weitergeben.

Welzer beschreibt, wie brüchig viele dieser inneren Häuser geworden sind. Zu viel Tempo, zu viele Krisen, zu wenig Resonanz.

Wenn Menschen sich entfremden, verlieren sie das Gefühl von Geborgenheit – im eigenen Leben wie in der Gesellschaft. Dann, sagt Welzer, ziehen andere ein: Angst, Misstrauen, Spaltung. Populist:innen nutzen die Risse im emotionalen Mauerwerk, um ihre Stimmen dort laut werden zu lassen.

Doch das Buch ist keine Klage, sondern ein Umbauplan.

Welzer zeigt, wie Gefühle, Beziehungen und Bildung zusammengehören. Vertrauen, Empathie und Zuversicht sind keine Privatsache – sie sind das emotionale Fundament von Demokratie und Zukunftsfähigkeit. Eine Gesellschaft, deren Mitglieder den eigenen Gefühlen nicht trauen, ist anfällig für Vereinfachung, Manipulation und Angstpolitik. Demokratie, so Welzer, ist ein emotional anspruchsvolles Projekt – sie braucht Menschen, die Ambivalenzen aushalten, sich berühren lassen, Mitgefühl empfinden und Verantwortung übernehmen.

Und genau dort beginnt Pädagogik.

Denn wer mit Kindern arbeitet, weiß: Sie wohnen noch ganz selbstverständlich in ihren Gefühlen.

Sie staunen, lachen, weinen, fragen – manchmal alles gleichzeitig. Ihr inneres Haus ist offen, voller Türen und Fenster. Erwachsene, sagt Welzer zwischen den Zeilen, haben oft vergessen, wie man dort wohnt.

Bildung aber – echte Bildung – heißt, Kinder in ihrem Gefühlshaus zu begleiten, statt ihnen früh beizubringen, es zu verriegeln. Im Kontext von Bildung für nachhaltige Entwicklung (BNE) gewinnt dieser Gedanke neue Kraft:

Wie sollen Kinder Mitgefühl für die Welt entwickeln, wenn sie es nicht erst für sich selbst und füreinander erfahren?

Wie sollen sie Verantwortung übernehmen, wenn ihr inneres Fundament aus Unsicherheit besteht?

Welzer zeigt, dass Zukunft nicht allein durch Wissen entsteht, sondern durch emotionale Stabilität, Beziehung und Sinn.

Und damit ist „Das Haus der Gefühle" auch ein zutiefst politisches Buch. Es erinnert daran, dass gesellschaftlicher Wandel nicht nur in Gesetzen oder Strukturen beginnt, sondern in der Art, wie Menschen fühlen, zuhören, miteinander sprechen.

Bildung, die das fördert – die Kinder und Erwachsene befähigt, die eigenen Emotionen wahrzunehmen und die der anderen zu respektieren –, wird zur Schule der Demokratie. Denn Empathie ist politisch. Vertrauen ist politisch. Staunen ist politisch.

Vielleicht braucht nachhaltige Bildung weniger neue Programme – und mehr Räume, in denen Kinder sich sicher, gesehen und verbunden fühlen. Räume, in denen man miteinander lacht, zweifelt, zuhört, staunt.

So entsteht Resilienz – in Menschen, in Teams, in Gesellschaften.

Das Haus der Gefühle ist damit auch ein Buch über Kitas, Horte, Schulen – über Orte, an denen täglich gebaut wird: an Vertrauen, Zugehörigkeit, Mut.

Denn Zukunft, sagt Welzer, braucht Herkunft – und Herkunft beginnt im Gefühl.

Und nur, wer die eigenen Gefühle kennt, kann sich nicht so leicht in die Angsthäuser anderer einmieten lassen.

Harald Welzer
Das Haus der Gefühle
Warum Zukunft Herkunft braucht
S. Fischer 2025
304 Seiten, 25,– Euro

FUNKTIONSRAUM WALD

Der Wald hat keine Funktionsecken. Oder doch?
Versucht mal, eine Waldlichtung zum Raum für unterschiedlichste Bildungsthemen zu machen. Dazu könnt ihr mitgebrachte und vor Ort gesammelte Materialien benutzen. Aber vergesst nicht, sie hinterher zurück zu räumen!

MISCHFARBEN UNTER ARVEN: DER WALD ALS KUNSTRAUM

Aus Blättern, Ästen und Steinen verschiedener Farbe legt ihr Bodenbilder. Umgekippte Baumstümpfe lassen sich mit Gras und Stroh in Monsterköpfe verwandeln, aus langen Ästen können riesige Labyrinthe entstehen und Boden-Mandalas sowieso. Oder wie wärs, aus Lehm, Asche, weichem Faulholz und Wasser cremige Farben zu mixen, um Baumstämme zu bemalen?

VERKLEIDEN UNTER WEIDEN: DER WALD ALS ROLLENSPIELRAUM

Lockere Moose und beblätterte Zweige können tolle Kostüme werden: Ich als grünes Männchen! Das Gras auf dem Kopf kann vom Waldfriseur gestutzt werden. Zweige lassen sich quer zwischen Bäume stecken: Hier ist ein Gefängnis, und wir sind Waldpolizisten!
Wenn man ausreichend Bucheckern, Kastanien, Eicheln oder Zapfen sammelt und dazu aus Zweiglein Körbe baut, steht dem Wald-Kaufmannsladen nichts im Wege: Was kostet das Kilo Tannenzapfen? Zwei Stein-Euro!

KLETTERN ZWISCHEN BLÄTTERN: DER WALD ALS BEWEGUNGSRAUM

Rauf auf die Eiche bis zum vierten Ast, vorsichtig unter der Hecke durch: Fast überall ist der Wald ein hervorragender Parcours zum Balancieren über einen umgekippten Baum oder auf einem zwischen zwei Bäumen angebrachten Seil. Auch seltene Bewegungsformen lassen sich ausprobieren: Nicht-den-Boden-Berühren zwischen nahe aneinander stehenden Baumstümpfen oder Wett-Rascheln durch hohe Blattberge…

Text: Michael Fink

Foto: Daniel Mirlea / unsplash

SCHREIBEN NEBEN EIBEN: DER WALD ALS LITERACY-ECKE

Keinerlei Inschrift trägt der Wald – oder doch? Ja, diese Zweige dort formen eindeutig ein X, die Tanne bildet ein J, die junge Cornelkirsche wächst als Y, und der Bachlauf zeigt ein S in Schönschrift… Überall im Wald kann man mit geschultem Blick Buchstaben entdecken und vielleicht fotografieren. Fehlen Buchstaben, bildet man sie selbst: Aus dem weichen Weidenzweig wird ein Q.

MÄRCHEN UNTER LÄRCHEN: DER WALD ALS GESCHICHTENERZÄHLORT

Im Wald kann man gut Geschichten erfinden und am besten gleich mit Wald-Stabfiguen vorspielen: einen Ast als Stütze, einen Pilz als Kopf, Blätter als Haare, Hagebutten als Augen, alles verbunden mit etwas Schnur – und schon kann man auf der Wald-Bühne tolle Theaterstücke inszenieren. Das Publikum baut sich inzwischen ein weiches Moos-Sofa zum gemütlichen Zugucken.

RASSELN ÜBER ASSELN: DER WALD ALS MUSIKSAAL

Lautstark grölen ist verboten. Vorsichtig Klänge aus Waldmaterialien produzieren passt besser zum Waldtag. Trockene Hölzer kann man an Schnüren aufhängen und mit einem Klangstab anschlagen – das hört sich oft überraschend gut an. Steine klackern an Steinen, und schüttelt man hohle Baumfrüchte mit Innenleben, gibt es vielleicht ein ebenso schönes Geräusch wie beim Streichen mit einem Zweig über eine borkige Rinde. Wenn dann noch ein echter Waldvogel tiriliert und der Specht den Takt klopft…

BLINDE FLECKEN

Brennen für den Job ist gut – aber irgendwann ist auch der schönste Funken mal durch.

Supervisorin Aline Kramer-Pleßke zeigt, wie man den eigenen Akku wiederfindet: mit ehrlichem Feedback, einem offenen Blick auf die eigenen blinden Flecken – und einer Portion Gelassenheit. Ein Erfahrungsbericht über Burnout, Selbstreflexion und die Frage: Wie geht gute Führung, wenn man selbst erschöpft ist?

ERINNERUNGEN

„Jetzt reicht es, Frau Kramer! Gehen Sie zu Ihrem Hausarzt und lassen Sie sich krankschreiben", empfahl mir meine damalige Supervisorin. Alle vier Wochen war ich bei ihr und reflektierte meine Arbeit als Führungskraft. Leider war mein Stundenanteil für diese Position im Gegensatz zu den Anforderungen sehr gering, und auch andere Rahmenbedingungen waren miserabel. Trotzdem arbeitete ich täglich bis spät abends, brannte für meine Aufgabe, mein Team und meine Klientel. Nun war die Flamme erloschen, meine Kraft war verschwunden, und auf Ideen kam ich nicht mehr. Ich war im Burnout gelandet. Erst Monate später konnte ich meine „blinden Flecken" reflektieren, mein Unvermögen, mich abzugrenzen, in wichtigen Momenten meine professionelle Sicht zu teilen und souverän aufzutreten. Vor allem die komplexen schwerwiegenden Probleme meiner Klientel beschäftigten mich ständig, überforderten mich emotional, ließen mich unsicher kommunizieren, und meine professionelle Handlungsfähigkeit versiegte. Ich kam nicht mehr klar und war auf die konstruktiven Feedbacks der Supervisorin und meiner Kolleg:innen angewiesen.

ERFAHRUNGEN

Eines Tages kam ein junger Mann zu mir ins Coaching. Vor einiger Zeit hatte er die Leitung einer Kita übernommen, brachte viele Ideen mit und war sehr engagiert.

Mir erzählte er, dass drei Kolleginnen plötzlich das Team wechseln wollten und dass er überhaupt nicht verstehe, was passiert sei. Was die Zusammenarbeit im Team anbelangt, habe er immer ein gutes Gefühl gehabt.

Menschen haben oft eine verzerrte Wahrnehmung von sich selbst. Sie konzentrieren sich auf ihre Stärken und übersehen ihre Schwächen. Oder umgekehrt. Deshalb nutze ich für die Reflexionsarbeit unter anderem die Methode des Johari-Fensters. Dieses Modell entwickelten die US-Sozialpsychologen Joseph Luft und Harry Ingham schon 1955. Es zeigt bewusste und unbewusste Persönlichkeits- und Verhaltensmerkmale und demonstriert die Unterschiede zwischen Selbst- und Fremdwahrnehmung. Vor allem der „blinde Fleck" im Selbstbild eines Menschen wird illustriert.

DAS JOHARI-MODELL

- fördert die Selbstwahrnehmung: Eigene Verhaltensweisen und Persönlichkeitsmerkmale werden durch den Vergleich des Selbstbildes mit dem Fremdbild bewusster;

- verbessert die Kommunikation: Werden Unterschiede, aber auch gleichen Wahrnehmungen transparent, kann man die zwischenmenschliche Kommunikation effektiver, klarer und freundlicher gestalten;

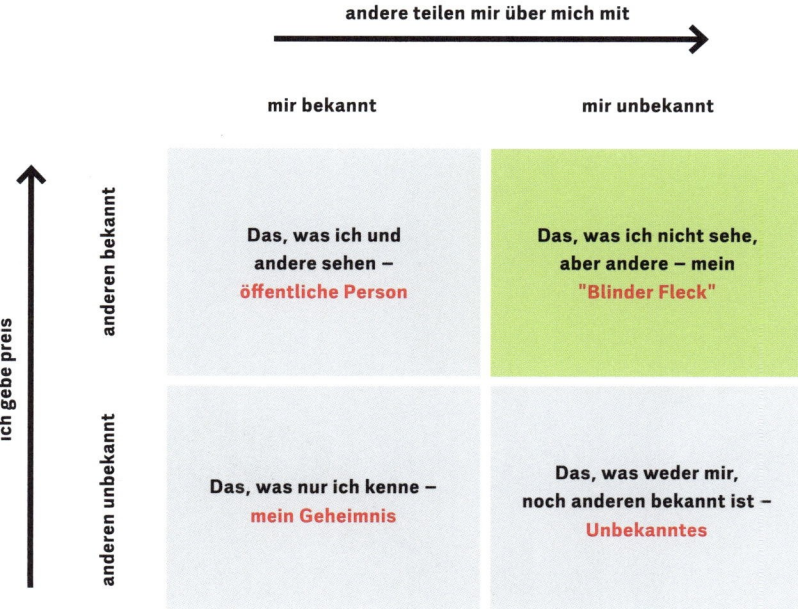

andere teilen mir über mich mit

	mir bekannt	mir unbekannt
anderen bekannt	Das, was ich und andere sehen – **öffentliche Person**	Das, was ich nicht sehe, aber andere – mein **"Blinder Fleck"**
anderen unbekannt	Das, was nur ich kenne – **mein Geheimnis**	Das, was weder mir, noch anderen bekannt ist – **Unbekanntes**

ich gebe preis

- reduziert den „blinden Fleck": Lernt man den eigenen „blinden Fleck" kennen, kann man sich damit auseinandersetzen und das Feld dieses „blinden Flecks" verkleinern;

- stärkt das Team: Die Arbeit mit dem Johari-Fenster kann gegenseitiges Verständnis fördern, dadurch die Zusammenarbeit verbessern und den gemeinsamen Handlungsspielraum erweitern;

- fördert die persönliche Entwicklung: Das Feedback anderer Menschen und die Reflexionsarbeit ermöglichen es, gezielt an Schwächen zu arbeiten und Stärken weiterzuentwickeln.

Was ist der „blinde Fleck"? In unserem Auge gibt es einen Punkt, an dem der Sehnerv auf die Netzhaut trifft und der keine lichtempfindlichen, bildempfangenden Rezeptoren aufweist. Dementsprechend kann das Bild nicht ans Gehirn weitergeleitet werden. An diesem Punkt sind wir also wirklich blind.

Solche „blinden Flecken" haben wir auch in unserer Selbstwahrnehmung. Bestimmte Bereiche unseres Selbst sehen wir nicht, wollen oder können sie nicht wahrnehmen. Oft sind das Schutzmechanismen unserer Psyche, aber manchmal hat es auch etwas mit mangelndem Selbstvertrauen zu tun.

Ich empfahl dem Leiter, das Johari-Experiment in seiner Einrichtung durchzuführen. Das Ergebnis analysierten wir in der nächsten Sitzung.

Die obige Abbildung zeigt vier Bereiche des Modells, die der Leiter und ich in der Sitzung betrachteten.

FOLGENDERMASSEN LASSEN SICH DIE VIER BEREICHE BESCHREIBEN:

<u>1. Öffentlich:</u> Was ist „mir und anderen bekannt"? Dieser Bereich enthält alles, was preisgegeben wird, was also der Person selbst und anderen Beteiligten bekannt ist. Das sind die Anteile der Persönlichkeit, die nach außen sichtbar gemacht und von anderen wahrgenommen werden. Neben äußeren Merkmalen gehören auch innere Eigenschaften dazu, zum Beispiel Ehrgeiz oder Ängstlichkeit, wenn das äußerlich erkennbar ist.

Ergebnis des Experiments: Der Leiter hatte dem Team einiges abgefordert, denn die Rahmenbedingungen hatten sich verändert. Er war sehr ehrgeizig in seiner neuen Rolle.

→

Foto: Paolo Chiabrando / unsplash

2. Geheim:

Was ist „mir bekannt und anderen unbekannt"?
Dieser Bereich enthält alle Anteile, die die Peron weiß
oder kennt, aber nicht preisgegeben will, anderen Beteiligten nicht zugänglich macht und aktiv vor ihnen ver-
birgt. Dazu gehören heimliche Wünsche, Empfindlich-
keiten oder Schambesetztes.

Ergebnis des Experiments: Der Leiter hatte Angst, seiner
Rolle nicht gerecht zu werden. Er beschrieb seine Unsicherheit, sein stets schlechtes Gewissen und sein Bedürfnis nach Zugehörigkeit.

3. Blinder Fleck:

Was ist „mir unbekannt und anderen bekannt"?
Dieser Bereich enthält alles Unbewusste, das eine Person
aussendet und das von anderen Beteiligten wahrgenommen wird, zum Beispiel unbewusste Eigenarten, Verhaltensweisen, Anteile und Charakteristika.

Ergebnis des Experiments: Im Coaching reflektierte der
Leiter, was sein Team wahrgenommen hatte, und zählte

auf: Er überfällt die Kolleg:innen mit seinen Ideen und
setzt sie unter Druck. Bei Vorfällen agiert er eher auf der
Beziehungsebene, wird deshalb nicht ernst genommen,
und möglicherweise nimmt er die anderen Teammitglieder auch nicht ernst. Er kommuniziert immer auf die
gleiche Art und Weise, obwohl verschiedene Menschen
und Situationen unterschiedliche Kommunikationsstile
erfordern. In hektischen Situationen vergisst er, Informa-
tionen weiterzugeben. Er konzentriert sich auf Teammitglieder, deren Leistungen auffallen oder die sich lautstark
melden. Stillere übersieht er. Weil er Aufgaben immer
den gleichen Kolleg:innen überträgt, können die anderen
ihre Fähigkeiten nicht zeigen und sich nicht entwickeln.
Eine Konkurrenzsituation mit einem Mitarbeiter hatte er
nicht wahrgenommen, obwohl sie für Unruhe sorgte und
geklärt werden musste.

4. Unbekannt: Was ist „mir und anderen unbekannt"?

Dieser Bereich zielt auf Verborgenes, also alles, das weder
der Person noch anderen Beteiligten bekannt ist. Das
können unentdeckte Potenziale, unbewusste Erinnerungen, Verletzungen oder verdrängte Erfahrungen sein, die

sich in Emotionen und in der Kommunikation niederschlagen und den Umgang mit anderen Menschen erschweren können. Um das Unbekannte für sich greifbar zu machen, könnten eine Psychotherapie oder Gespräche mit entsprechend geschulten Fachleuten hilfreich sein.

Ergebnis des Experiments: In der Arbeit gingen wir auf die Bedürfnisse, Überzeugungen und Lebenskonflikte des Leiters ein. Er konnte für sich reflektieren, was er unter Loyalität versteht und warum dieser Wert für ihn so große Bedeutung hat. Am Ende war er erleichtert und fühlte sich mental wieder vital, obwohl es nicht leicht war, sich der eigenen „blinden Flecke" bewusst zu werden und sich mit den Erkenntnissen auseinanderzusetzen. Ich gab ihm auf den Weg: „Egal, wohin Sie gehen, Sie nehmen sich selbst mit. Deshalb ist es nur gut und wichtig, auch bei sich selbst anzufangen."

EXPERIMENTE

Das Johari-Fenster-Experiment kann in Teams, aber auch für die persönliche Entwicklung genutzt werden. Es läuft folgendermaßen ab:

1.

Auswahl der Adjektive: Eine Liste von Adjektiven, die verschiedene Persönlichkeitsmerkmale beschreiben, wird bereitgestellt.

Adjektive zum Selbst- und Fremdbild:

- akzeptierend,
- angespannt,
- aufmerksam,
- bestimmt,
- entspannt,
- fähig,
- fürsorglich,
- geschickt,
- glücklich,
- albern,
- anpassungsfähig,
- bescheiden,
- energievoll,
- extrovertiert,
- freundlich,
- geduldig,
- genial,
- großzügig,
- heiter,
- idealistisch,
- introvertiert,
- komplex,
- liebevoll,
- mächtig,
- nachdenklich,
- nett,
- reaktionsschnell,
- religiös,
- scheu,
- selbstbewusst,
- sentimental,
- still,
- suchend,
- unabhängig,
- vernünftig,
- warmherzig,
- witzig,
- hilfreich,
- intelligent,
- kompetent,
- kühn,
- logisch,
- mitfühlend,
- nervös,
- organisiert,
- reif,
- ruhig,
- schlau,
- selbstsicher,
- spontan,
- stolz,
- tapfer,
- verlässlich,
- vertrauenswürdig,
- weise,
- würdevoll

2.

Selbstbewertung: Jede Person wählt aus der Liste fünf bis sechs die Adjektive aus, die sie am besten beschreiben.

3.

Fremdbewertung: Andere Personen, zum Beispiel die Teammitglieder oder Freunde, wählen ebenfalls fünf bis sechs Adjektive aus der Liste aus, die die zu bewertende Person am besten beschreiben.

4.

Reflexion: Zusätzlich können folgende Fragen beantwortet werden.

**Wenn ich über mich nachdenke /
Wenn du über mich nachdenkst:**

Was zeichnet mich aus?
Wodurch unterscheide ich mich von allen anderen
Menschen, die ich kenne?
Was sind meine größten Stärken?
Was sind meine größten Schwächen?
Welche Stärke ist mir persönlich am wenigsten
bewusst?
Bei welcher Problemlösung könnte ich am besten
mitwirken?
Womit sollte ich mich noch beschäftigen?
Was sollte ich noch lernen?
Was sollte ich beruflich auf keinen Fall tun?

5.

Vergleich der Bewertungen: Die ausgewählten Adjektive
werden in das Johari-Fenster eingetragen, das in vier Quadrate unterteilt ist:

Öffentliche Person: Adjektive, die sowohl von der Person
selbst als auch von anderen Teammitgliedern ausgewählt
wurden
Blinder Fleck: Adjektive, die nur von anderen Teammitgliedern ausgewählt wurden
Verborgene Person: Adjektive, die nur von der Person
selbst ausgewählt wurden
Unbekanntes: Adjektive, die weder von der Person selbst
noch von anderen ausgewählt wurden

6.

Diskussion und Reflexion: Die Ergebnisse werden besprochen, um die Selbst- und Fremdwahrnehmung besser zu
erkennen. Dies kann zu wertvollen Einsichten und zur
persönlichen Weiterentwicklung beitragen.

7.

Feedback: Wenn die Fragen unter 4. nicht bearbeitet
wurden, kann man im Team über folgende Fragen nachdenken:

Wobei profitieren wir als Team von dir?
Was schätze ich an dir unabhängig von deiner Leistung?
Welche gute Erfahrung verbinde ich mit dir?

8.

Anpassung: Basierend auf den Erkenntnissen können Personen gezielt an ihren „blinden Flecken" arbeiten und
offener über ihre verborgenen Eigenschaften sprechen.

Aline Kramer-Pleßke arbeitet als Coach
und Supervisorin für Leitungskräfte,
Fachberater*innen und Teams in Berlin,
Brandenburg oder Online.
Kontakt: Beratungspraxis
Wolfshagener Straße 73, 13187 Berlin
E-Mail: info@alinekramer.de
Internet: www.alinekramer.de und
www.perspektiven-coaching-berlin.de

HÖRT UND SEHT IHR MICH NOCH?

Text: Michael Fink
und Lars Ihlenfeld

Hier werden Rechtsfragen aus der Pädagogik verhandelt. Diesmal geht es um die Aufsichtspflicht am Waldtag.

„Ist jetzt alles klar, Leute?" Leiterin Julia erklärt die Sache mit der Aufsichtspflicht im Wald, bevor die Kindergartengruppe losstapft. „Das ist nämlich ganz simpel", sagt sie, „steht sogar in der Broschüre vom Unfallverband. Man sagt den Kindern: Ihr dürft euch hier frei bewegen. Aber ihr geht nur so weit, dass ihr uns Erwachsene immer noch sehen und hören könnt."

Toll, wenn die Kinder Freiraum haben, denkt die gewissenhafte Lucia, die mit ihrer Gruppe Dreijähriger unterwegs ist. Während sie auf der Lichtung einen Kurzvortrag über gefährliche Beeren, nicht bekletterbare Kleinsträucher und angemessenes Verhalten bei eventuell auftauchenden tollwutinfizierten Waldbewohnern hält, wuseln immer wieder Kinder hinter ihrem Rücken herum, die sie nicht am Verschlucken von Eicheln hindern kann. Freiraum braucht Grenzen, erkennt Lucia, und windet eine Schnur im Abstand von etwa 10 Metern um fünf Stämme, sodass sich ein gemütliches kleines Gatter ergibt, in dem sie, auf einem Baumstumpf sitzend, das Spiel der Kinder jederzeit im Blick hat. „Jetzt kann die Lucia gut aufpassen und braucht keine Angst um euch zu haben", verkündet sie den Kindern stolz.

„Keep cool", sagt Rasmus, der das mit dem Zaun ein bisschen arg eng findet. Er hatte den Kindern die Sehen-und-Hören-Regel eingetrichtert und beobachtet das Geschehen nun vom Rand der Lichtung aus. Mal wieder durchzählen? Huch, plötzlich sind Alma und Hanna weg! Rasmus brüllt ihre Namen und überhört dabei fast das Mäusepiepen unter einem Asthaufen gleich nebenan, der sich erst beim Nähertreten als Höhle entpuppt, in der zwei

Vierjährige hausen, die durchaus ihren Spaß haben. „Du dachstest, wir wären weg, oder?" fragt Alma kichernd. „Aber wir haben dich die ganze Zeit gesehen und gehört. Durch die Ritzen."

„Relax, relax", sagt Renate, die am Waldtag den hohen Wellnessfaktor schätzt. „Shirin-yoku", säuselt sie, „auf Deutsch Waldbaden, verstehste?" In einer Hängematte, zwischen zwei robuste Kiefern gespannt, macht sie es sich gemütlich, richtet sich ab und zu auf und fragt vernehmlich: „Kinder, könnt ihr mich alle sehen und hören?" Ein vielstimmiges „Ja!" ertönt – und Renate lässt sich entspannt zurückfallen, während die Kinder irgendwo herumtoben. Ach, wenn doch immer Waldtag wäre!

Genauso sehen das Hänsel und Greta, die mithilfe unbeliebter Vesperbrot-Stückchen einen Weg in immer größerem Abstand um den Lagerplatz der Kindergruppe markieren. Da wird Hänsel plötzlich bang: „Dürfen wir denn so weit?" Greta lacht und ruft: „Huhu, hört ihr mich?" Weil von dort, wo die Lichtung ist, jemand zurückruft, weiß sie: Wir sind nicht zu weit gegangen.

„Was macht der denn da!" schreit Annabell. Beim Zusammensuchen der Kinder hat sie plötzlich oben auf dem Felsvorsprung einen kleinen rot-blauen Punkt entdeckt. Ist das Luan? Hat er sich verirrt, stürzt er etwa gleich ab? Tatsächlich, es ist Luan, und er ruft etwas. „Ich kann euch immer noch sehen und hööören!"

Hallooo, Lars Ihlenfeld!

Kannst Du diesen Text sehen oder hööören? Dann beantworte unsere Frage doch bitte ganz laut und gut sichtbar:

Wie genau oder wie lässig sollte man die Aufsichtspflicht an einem richtig schön entspannten und dennoch sicheren Waldtag handhaben?

—— Lars Ihlenfeld – Kitarechtler, antwortet:

Da kann einem ja Hören und Sehen vergehen! Der Wald ist ein wunderbarer pädagogischer Erlebnisraum und ein höchst vielseitiger „dritter Pädagoge" im reggianischen Sinne – allerdings mit einem kleinen Defizit: Ihm fällt es schwer, seine Angebote auf bestimmte Altersgruppen zuzuschneiden. Stets hat er wechselnde Angebote parat, und zwar frei verfügbar für alle. Das birgt einige Gefahren, die für Kinder im Kita-Alter in der Regel nicht erkennbar sind. Also muss die „zweite Pädagogin", die Fachkraft, grundsätzlich eine gewisse Vorauswahl unter den Angeboten des „ersten Pädagogen" treffen und die Kinder aktiv, präventiv und kontinuierlich beaufsichtigen.

Die begleitenden Fachkräfte sollten im Kontakt mit den Kindern bleiben, Spielsituationen aufmerksam beobachten, ohne das Spiel zu stören, und auf die Einhaltung von Regeln achten. Natürlich sollten sie über Wald und Wiese Bescheid wissen, den aktuell ausgewählten Standort kennen und sich mit dem zuständigen Förster oder anderen verantwortlichen Personen regelmäßig austauschen. Die Broschüre der Deutschen Gesetzlichen Unfallversicherung zum Aufenthalt im Wald[1] sollten sie gelesen haben und die mit den Kindern abgesprochenen Regeln immer wieder spielerisch vergegenwärtigen.

REGELN FÜR DEN AUFENTHALT IM WALD[2]

- Die Kinder bleiben in Sicht- bzw. Hörweite. Vereinbarte Aufenthaltsbereiche dürfen ohne Rücksprache mit den Erzieherinnen und Erziehern nicht verlassen werden.
- Es dürfen grundsätzlich keine Waldfrüchte (wie Beeren, Gräser, Pilze) in den Mund gesteckt bzw. gegessen werden.
- Es wird kein Wasser aus stehenden oder fließenden Gewässern getrunken.
- Wildtiere, Kadaver und Kot dürfen nicht angefasst werden.
- Sitzen oder Balancieren ist nur auf sicher aufliegenden Baumstämmen erlaubt. Gestapeltes Holz darf nicht betreten werden. Auf feuchten oder bemoosten Baumstämmen wird nicht balanciert.
- Stöcke werden nicht in Gesichtshöhe gehalten. Es wird nicht mit einem Stock in der Hand gerannt. Es dürfen keine Stoßbewegungen in Richtung anderer Kinder erfolgen.

---

1 Mit Kindern im Wald. DGUV Information 202-074
2 Aus: DGUV Information 202-074

- Es wird nur auf Bäume geklettert, die dafür von den Erzieherinnen und Erzieher ausgewählt wurden.
- Der Aufenthalt im gekennzeichneten Bereich von Waldarbeiten ist verboten.

Die Kinder müssen nicht jederzeit im Blick behalten werden. In dieser Hinsicht vermittelt das Wort Aufsicht ein falsches Signal, suggeriert es doch, dass Fachkräfte die Kinder stets sehen müssen, um der von den Eltern übergebenen Verantwortung gerecht zu werden. Aber Kinder haben grundsätzlich ein Recht auf unbeobachtete Momente, in denen sie die Hilfe eines Erwachsenen nicht unmittelbar und Anspruch nehmen und so lernen, für sich selbst verantwortlich zu sein. Das gilt grundsätzlich auch im Wald. Die Entfernung der Kinder aus der Sichtweite der Fachkräfte ist allerdings nicht oder nur im Einzelfall zu empfehlen.

Ein Aufenthalt im Wald bietet Kindern zahllose Möglichkeiten, sich auszuprobieren und den Kitzel des Risikos, des Gefährlichen, des gruselig Unbekannten zu erleben. Dabei handelt es sich um ein elementares Bedürfnis, wie Sandseter und Kvalnes in ihrem bahnbrechenden Werk „Risky Play – an Ethical Challenge" anhand zahlreicher Interviews mit Kindern überzeugend ausführen. Die Erfahrung, Wagnisse zu meistern, stärkt nicht nur die Risikokompetenz in motorischer Hinsicht, sondern lässt Kinder resilienter werden, sodass sie auch als Erwachsene besser mit Rückschlägen und Herausforderungen fertig werden. Deshalb haben sie ein Recht auf Risiko und blaue Flecken, also auf die sprichwörtliche „Kompetenzschramme".

In solchen Situationen ist allerdings eine besondere Fähigkeit der Fachkräfte gefragt: still zu beobachten und trotz all der Risiken, die ihnen in Bruchteilen von Sekunden durch den Kopf schießen, den Mund zu halten, allenfalls unterstützend zu kommunizieren und nur dann einzugreifen, wenn ein bleibender Schaden oder gar Schlimmeres droht.

Erzieherin Renate kann sich auch außerhalb der Hängematte trotz ständiger Präsenz und Beobachtung des kindlichen Spiels entspannen – ist der Lärmpegel doch viel geringer, die Luft ist besser, die Kinder sind meist viel intensiver im Spiel und weniger fordernd als in der Kita. Schon allein der Aufenthalt im Wald führt zur Abnahme der Stresshormone Cortisol und Adrenalin. Falls Renate Lust hat, kann sie einen Baum umarmen. Ein paar Kinder machen sicherlich begeistert mit, und so kommt sie ganz entspannt ihrer Aufsichtspflicht nach.

LARS IHLENFELD
Mit großer Betroffenheit haben wir vom plötzlichen Tod von Lars erfahren – Jurist, dreifacher Vater, Waldkindergarten-Gründer und Mitglied des Leitungsteams der Kita Sandvika in Hamburg-Altona.
In diesem und im nächsten Heft erscheinen noch zwei seiner Beiträge.
Wir erinnern uns an ihn in stiller Verbundenheit und großer Dankbarkeit. Mehr dazu im nächsten Heft.

SPRACHKURS GEGEN ANGST UND FÜR MACHBARKEIT[3]

„Fallt nicht hin! Stolpert nicht!"
Besser: „Hier wird's rutschig! Achtung, lockere Steine!"

„Ihr werdet gleich stürzen!"
Besser: „Etwas langsamer, das ist eine sehr steile Stelle!"

„So weit kannst du nicht springen! Wehe, du fällst hin!"
Besser: „Nimm doch erst mal den großen Stein als Zwischenstation."

„Ich habe Angst, das geht nicht gut!"
Besser: „Traut ihr euch zu zweit da runter, wenn ihr euch an den Händen haltet? Dann merkt ihr, ob es geht."
Oder: „Man kann hier weiterlaufen, muss aber dafür sehr achtsam sein."

„Ihr werdet euch wehtun!"
Besser: „Achtung! Hier liegen Glasscherben, da müsst ihr besonders gut aufpassen."

„Das kann nur schiefgehen!"
Besser: „Stopp, macht das nicht, das ist zu riskant! Wir finden einen anderen Weg."

---

3 Vgl. Bensel u. a. In: Kinderängste verstehen und achtsam begleiten. kindergarten heute – wissen kompakt. Herder, Freiburg 2020

WAS MIT BLÄTTERN

Text und Fotos:
Dagmar Arzenbacher

Blätter

sind etwas Faszinierendes.

Warum?
Weil sie Farbe in die Welt bringen: Grün, Gelb, Rot...

Was sind Blätter?
Blätter sind wichtige Organe für Pflanzen. Mit ihnen
sehen und riechen sie nicht nur, sondern sie können
die Blätter auch zu ihrer Verteidigung einsetzen.

Was können Blätter eigentlich?
Sie sorgen zum Beispiel dafür, dass Pflanzen atmen
können. Mit Hilfe der Sonnenstrahlen verwandeln sie
Wasser und Stickstoff aus der Luft in Stärke, die die
Pflanzen ernährt. Wenn es keine Blätter gäbe, würde
auch uns Menschen die Luft ausgehen.

Was gibt es für Blätter?
Es gibt runde, handförmige, symmetrische, herz-
förmige, gefiederte, schiefe, spitze, nierenförmige,
nadelförmige, löffelförmige und noch viele andere
Blätter. Außerdem gibt es Keimblätter, Blütenblätter,
Flugblätter, Schulterblätter. Sägeblätter und unbe-
schriebene Blätter.

Was kann man mit Blättern machen?
Man kann sie sammeln, bestimmen, vergleichen,
sortieren, pressen, trocknen, zeichnen, abdrucken
und Collagen oder Frottagen daraus herstellen.

Was Ihr Euch mit Blättern ausgedacht und fotografiert
habt, schickt Ihr an:

juhu@wamiki.de

HOLT HOLUNDERHOLZ!

Teuer muss nicht sein, aber kreativ! Michael Fink inspiziert Ausgesondertes,
um nach Dingen zu suchen, die kaum etwas kosten.

Holunder

Wer Holunderholz sucht, braucht keinen Baumarkt – nur offene Augen.
Der Holunder (Sambucus nigra) steht fast überall herum, wo Erde feucht und Menschen in der Nähe sind: am Waldrand, Feldweg oder hinterm Komposthaufen. Seine Zweige erkennt man leicht: außen grau und glatt, innen weich und hohl wie ein Trinkröhrchen – perfekt für Basteleien, Flöten oder Natur-Experimente.
Oft wirft der Strauch alte Äste ganz freiwillig ab – nachhaltiger geht's kaum.

Der 1-Euro-Shop unserer Vorväter hieß Wald. Wie ein guter Action-Markt lag er zwar etwas außerhalb der Stadt, wirkte ziemlich unsortiert und bot je nach Jahreszeit jede Menge Deko-Trash, punktete aber mit unschlagbar günstigen Preisen. Und so kehrten unsere Vorfahren mit vollen Kiepen genauso zufrieden aus dem Wald zurück wie wir aus dem TEDI-Markt: „Hey, ich war eben bei WALD! Hab nix Spezielles gesucht, aber ganz viele Dinge gefunden. Hier, mega-tolle Tannenzapfen! Und diese Pilze! Garantiert superlecker, auch wenn sie ein bisschen giftgrün aussehen."

Damit uns der Weichmacher-Mief bei MacGeiz nicht das Gehirn vernebelt, shoppen auch wir heute mal nicht dort, sondern im düsteren Tann, wo der Eichelhäher aufmerksam über jeden Kundenverkehr wacht. Was gibt es im Angebot?

Neben Buchecker-Fruchtbechern – huch, schon leergefuttert – und allzu kitschigem Frauenhaarmoos fällt uns ein Sonderposten erstklassiger Holunderaststücke in die Hände. Die müssten raus, erklärt der eifrige Eichelhäher, weil der betreffende Hersteller, ein schütteres, mittelgroßes Bäumchen, sich regelmäßig von alten grauen Ästen trenne und sich top-modische in Hellgrün nachwachsen lasse. „Wie nachhaltig ist das denn?" mosern wir kritisch, da klärt uns der geflügelte Verkäufer auch schon über die Vorteile des Materials auf. Trotz verlässlicher Bruchfestigkeit sei es leicht zu sägen, in unterschiedlichen Durchmessern erhältlich, rieche gut – und als besonderen Clou habe es eine tunnelförmige Rinne im Inneren.

Natürlich nehmen wir angesichts des Schnäppchenpreises von 0 Euro pro Kilo eine große Menge der Äste mit.

Kaum sind wir heimgekehrt, ploppen Ideen auf wie die Blüten einer frühsommerlichen Holunderdolde: Die Röhrchen, die man manchmal mit einem spitzen Stab freikratzen muss, lassen sich prima in Wasserleitungen, Blasrohre oder gar Flöten verwandeln. Man kann die Stäbe ineinanderstecken, man kann größere Aststücke halbieren und daraus Murmelbahnen bauen…

Ein tolles und preiswertes Material also, stellen wir fest. Hoffentlich findet es niemals den Weg in den Action-Markt.

Text und Fotos:
Michael Fink

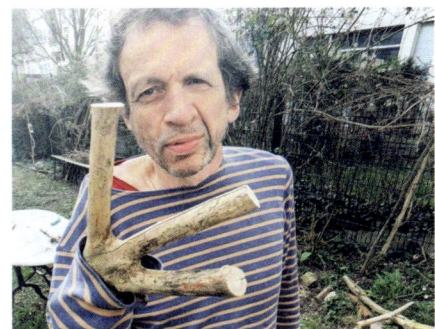

NOMINIERT FÜR DEN DEUTSCHEN KINDER-

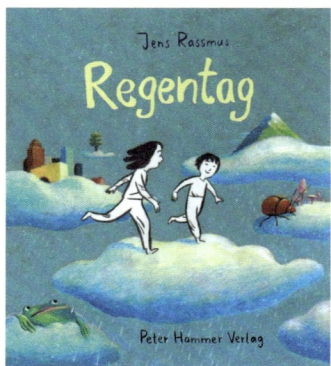

Regentag

BILDERBUCH

Es regnet. Bruder und Schwester wollten eine Fahrradtour machen, doch nun schüttet es unaufhörlich. Langeweile breitet sich aus – bis aus den Tiefen der Vorstellungskraft eine Spielidee auftaucht, der viele weitere folgen. Im Reigen ihrer Fantasie bezwingen die Kinder Berge, werden zu Zwergen, die auf Käfern fliegen, und zu Riesen, die Hausdächer überschreiten. Sie steigen in Brunnen, durchwandern Felder und Wälder, verstecken sich, jagen einander, kitzeln sich lachend durch den Tag.

Die fließenden Bilder des Spiels scheinen ineinander überzugehen, zu verjüngen und neu anzusetzen. Die Zeit vergeht, während die Kinder ganz im Spiel aufgehen.

Jens Rassmus erzählt ganz ohne Worte von der Vielfalt kindlicher Imagination. Schwarz-weiße Umrisslinien zeigen die Realität des Kinderzimmers, kräftige Acrylfarben entfalten die weite Welt der Fantasie. Wiedererkennbare Gesten, Haltungen und Gegenstände verbinden beide Ebenen und laden Betrachtende ein, am magischen Verwandlungsspiel teilzuhaben. Bildstark und barrierefrei eröffnet Regentag einen Raum zum Mit- und Nachdenken – und wenn am Ende die Sonne scheint, ist längst klar: Fantasie hellt weit mehr auf als nur einen Regentag.

Ab 4 Jahren.

wamiki-Tipp:
Jens Rassmus (Text und Illustration):
Regentag
Verlag Peter Hammer
ISBN: 978-3-7795-0726-0
20,00 €

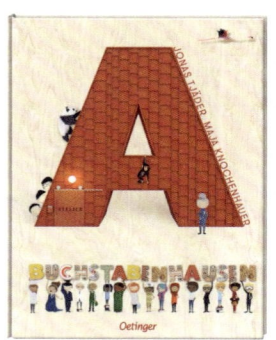

Buchstabenhausen

BILDERBUCH

Hier wird das ABC zum Abenteuer. Jeder Buchstabe steht für einen Ort, der in lebendiger Dreidimensionalität zum Erkunden einlädt. Vom „Atelier" bis zum „Zoo" entsteht eine wimmelnde Stadtlandschaft, die die Lebenswelt von Kindern im Grundschulalter kreativ aufgreift und erweitert.

Die Bilder spielen virtuos mit Perspektive und Tiefe: Während comicartige Figuren flächig bleiben, entfalten die vom Modellbau inspirierten Buchstabenhäuser räumliche Wirkung. Fotorealistische und grafische Elemente verbinden sich zu einem vielschichtigen Ganzen. Auf ihrem Rundgang entdecken die Lesenden kleine Geschichten und Rätsel, die zum Hin- und Herblättern und Weiterdenken anregen.

26 Gedichte zu 26 Orten laden ein zum Lesen, Schauen und gemeinsamen Philosophieren. Jonas Tjäder und Maja Knochenhauer verweben Text und Bild kunstvoll zu einem vieldeutigen Sprach- und Bildspiel. Die Übersetzung von Stefan Pluschkat überträgt den rhythmischen Witz des Originals meisterhaft – und macht Buchstabenhausen zu einem Sprachvergnügen besonderer Art.

Ab 5 Jahren.

---

wamiki-Tipp:
Jonas Tjäder, Maja Knochenhauer (Texte und Illustrationen), Stefan Pluschkat (Übersetzung aus dem Schwedischen):
Buchstabenhausen
ISBN: 978-3-7512-0440-8
17,00 €

UND JUGENDLITERATURPREIS 2025

Die Gurkentruppe

KINDERBUCH

Der Titel hält, was er verspricht! In einem Haus im Wald lebt eine höchst eigenwillige Wohngemeinschaft aus Tierfiguren: Schwein, Hase, Bär, Biber und Zebra – alle überzeichnet, liebevoll charakterisiert und wunderbar unperfekt. Angst, Ordnungsdrang, Hyperaktivität oder Heimweh – ihre Eigenheiten sind schrullig, aber in der Gemeinschaft erstaunlich funktional.

Leslie Niemöller formt daraus ein Gute-Laune-Buch für Vor-, Erst- und Zweitlesende. Mit Humor und Feingefühl zeigt sie, wie Verschiedenheit Zusammenhalt stiftet. Die Sprache bleibt klar und kindgerecht, ohne an Poesie zu verlieren. Wortwitz und Situationskomik sorgen für herzhaftes Lachen – unterstützt von Liliane Osers pointierten Illustrationen.

Die Gurkentruppe ist eine vergnügliche Parabel auf Inklusion und das Zusammenleben in Vielfalt.

Ab 5 Jahren.

wamiki-Tipp:
Leslie Niemöller (Text), Liliane Oser (Illustration):
Die Gurkentruppe
Moritz
ISBN: 978-3-89565-454-1
12,00 €

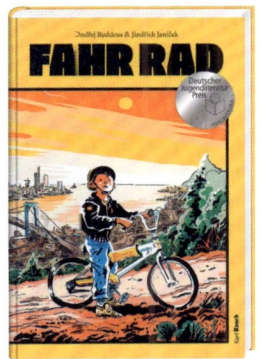

Fahr Rad

SACHBUCH

Der Titel ist Programm! Ondřej Buddeus entfaltet in seinem Buch die ganze Welt des Fahrradwissens – von Kulturgeschichte und Physik bis zu Fragen nachhaltiger Stadtplanung. Dabei zeigt er das Fahrrad als globales, verbindendes Objekt: ein Symbol für Mobilität, Freiheit und Gemeinschaft.

In klarer Sprache und mit präzisem Fachvokabular macht das Buch die Technik und Philosophie des Radfahrens anschaulich. Jindřich Janíčeks Illustrationen im Retro-Stil – in Gelb-, Orange- und Fliedertönen – verbinden Atmosphäre mit Detailfreude. Übersetzerin Lena Dorn trifft den Ton des tschechischen Originals und transportiert dessen leichten Humor.

Fahr Rad lädt ein, die Welt vom Sattel aus zu entdecken – als sportliche, ökologische und soziale Erfahrung. Fahrradfahren erscheint hier als demokratischer Akt und das Fahrrad als Symbol gelebter Freiheit.

Ab 10 Jahren.

wamiki-Tipp:
Ondřej Buddeus (Text), Jindřich Janíček (Illustration),
Lena Dorn (Übersetzung aus dem Tschechischen):
Fahr Rad
Verlag Karl Rauch
ISBN: 978-3-7920-0386-2
25,00 €

Termine

PÄDAGOGIK AUFRÄUMEN:

Pädagogik lebt von Ritualen, heißt es. Erzieher, Lehrer und *innen machen alles Mögliche, weil es nun mal derzeit üblich oder sogar vorgeschrieben ist. Egal, ob es Sinn hat oder nicht. Sinnvoll ist es aber auf jeden Fall, ab und zu auszumisten. Deswegen stellt diese Rubrik pädagogische Gewohnheiten aufs Tapet und fragt ganz ergebnisoffen: Ist das pädagogische Kunst oder kann das weg?

DAS GUGELHUPF-SANDFÖRMCHEN

Überall, wo Kitakinder und Sand zusammentreffen, liegt es herum. Manchmal führt eine Erzieherin die Möglichkeiten dieses Spielzeugs uninformierten Kindern vor: Sand reintun, festklopfen, umdrehen, abheben, Kuchen bestaunen, nicht gleich zertreten. Bisschen öde – oder halt typisch Kindergarten?

Lasst uns über Förmchen nachdenken! Warum ist ihr Einsatz ein solch grundlegendes Ritual im deutschen Kindergarten? Mal überlegen: Macht Sandkuchenbacken einfach unstillbare Freude? Naja. Ist es wichtig, Kinder jahrelang Erfahrungen mit dem Füllen von Hohlformen machen zu lassen? Hmm. Ist das Förmchen einfach eine Reliquie aus der Zeit, in der man Frauen vor allem zum Kinderbetreuen und Kuchenbacken verdonnerte? Nun ja. Oder könnte es daran liegen, dass Pädagoginnen es für eine Pflicht halten, die Kinder „täglich einmal rausgehen zu lassen" – und damit die Kleinen dabei eine einigermaßen klare Beschäftigung haben, werden ihnen eben Schaufel und das Förmchen zur Hand gegeben? Vielleicht, vielleicht.

Nicht missverstehen: Auch ich finde das Backen von Sandgugelhupf bisweilen entspannend. Dann aber scheint mir, es gäbe noch unzählige bessere Beschäftigungen, wenn ich „täglich einmal rausgehen" will: Ton an die Wand schmieren, eine Stock-Schnur-Hüte bauen, draußen ein Kartonhaus zusammenkleben, mit Schaufel und Sieb die Erde untersuchen, mit dem Digitalmikroskop Kleintiere betrachten, aus Steinen einen Weg bauen, Wassereimer füllen und umkippen, brüchige Steine zu Paste mörsern…

All das macht Sinn und Spaß, und für all das braucht man Material. Mit anderen Worten: Lasst mal das Förmchen pausieren, um bessere Ideen als Sandgugelhupfe wachsen zu lassen.

BILDERRÄTSEL

Bild: Marie Parakenings

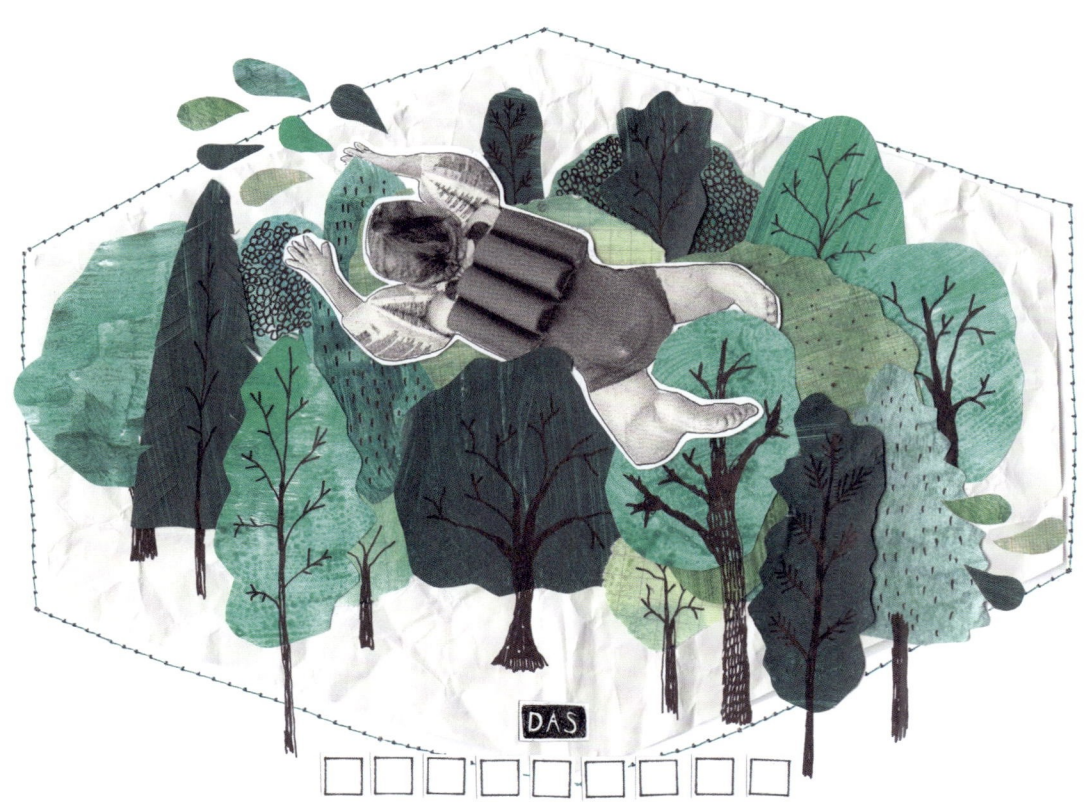

Welchen Begriff aus der Pädagogik haben wir im übertragenen Sinn collagiert? Die Buchstaben in den hellen Kästchen ergeben den Lösungsbegriff. Unter Ausschluss des Rechtsweges verlosen wir 10 x „Mit der Welt sprechen lernen".

PS: In Heft 2/2025 suchten wir den Begriff: Erziehung. Die Redaktion gratuliert allen Gewinnerinnen und Gewinnern.

Schickt eure Lösung per Post an:
wamiki
Was mit Kindern GmbH
Heinrich-Mann-Str. 31 / Haus 2
13156 Berlin
oder per E-Mail an:
info@wamiki.de
Stichwort: Bilderrätsel.
Einsendeschluss ist der
30. November 2025.

HEFT #4/2025

Thema: KENNWASCHON

AB DEM 28. 11. ERHÄLTLICH

WAR FRÜHER ALLES BESSER?
wamiki schaut in die Vergangenheit, um Lust auf Zukunft zu machen.

DER KINDERGARTEN IN DER ZEITUNG
Vom „staatsgefährlichen Frauenverein" bis zum „Kinderrecht auf Selbstentfaltung" – eine Zeitreise.

BILDUNG 5.0
Lasst uns die frühe Bildung neu denken – empathisch, partizipativ und menschlich.
Wassilios Fthenakis erklärt, wie frühe Bildung zur Basis einer menschlicheren Zukunft wird.

WENN ECHTE KINDER ZU KI-NDERN WERDEN
Wohin Bildungspläne führen, wenn Künstliche Intelligenz das Sagen hat. Eine Bildreportage.

SUPERVISORIN / IST DAS WAHR?
Wie Teams lernen, ihre Glaubenssätze zu prüfen und Neues zuzulassen.

SAG DIE WAHRHEIT!
Was dürfen, sollen oder müssen Pädagog:innen sagen, wenn Eltern sich trennen?
Vom Kinderrecht auf Information.

DILEMMATA / KOLLEGIN LUISA WIRD GROB
Wenn Kolleg:innen Fehler machen, stehen wir alle im Konflikt: hinschauen oder stillhalten, trösten oder melden, schützen oder verstehen?

WAS GIBT ES NEUES IN DER PÄDAGOGIK?
Helen Hedges' Ansatz der „Funds of knowledge" inspiriert dazu, genauer hinzusehen: auf Kinder, Familien und auch auf das eigene pädagogische Selbst.

WUNSCHKIND THORBEN
Eine Satire über Helikopter-Eltern, Hygienewahn und die Tücken der Erziehungspartnerschaft.

IMPRESSUM

WAS DIE WAMIKIS DRAUSSEN SUCHEN:

Erika Berthold: die Weiden ∫ Michael Fink: das Weite ∫ Eva Grüber: die Weisen ∫ Lena Grüber: nicht die Weidel ∫ Frank Seiffarth: die Weiten ∫ Natascha Welz: die Weile

FRAGEN, KRITIK, IDEEN
redaktion@wamiki.de

VERLAG, REDAKTION, ABO-SERVICE, ANZEIGEN
Was mit Kindern GmbH
Heinrich-Mann-Str. 31, Haus 2 ∫ 13156 Berlin

Tel.: +49 (0)30 48 09 65-36
Fax: +49 (0)30 48 09 65-35
Mobil: +49 (0)177 414 15 17
E-Mail: redaktion@wamiki.de
E-Mail: info@wamiki.de

Internet: www.wasmitkindern.de
X: @wasmitkindern
Facebook: www.facebook.com/wasmitkindern

ANZEIGEN UND VERTRIEB
Eva und Lena Grüber ∫
E-Mail: anzeigen@wamiki.de
Telefon: +49 (0)177 414 15 17

GESCHÄFTSFÜHRUNG
Lena Grüber, Eva Grüber ∫ HRB 161374 B
GESTALTUNG
Erik Neumann — studio luxabor
KONZEPT
anschlaege.de
DRUCK
Umweltdruck Berlin GmbH
BILDNACHWEISE
Cover: Ekaterina / unsplash,
S. 64: suschaa / Photocase

ERSCHEINUNGSWEISE
8 x jährlich: 6 Hefte + 2 Extras ∫
Einzelheft: 8 Euro, zzgl. Versand

ISSN-NUMMER
2363-7714